BASIC MASTER SERIES 529

# はじめてのWord2021

［著］吉岡　豊

秀和システム

# 本書の使い方

- 本書では、初めてWord2021を使う方や、いままでWordを使ってきた方を対象に、Wordの基本的な操作方法から、ビジネスなどに役立つ本格的な文書作成、見栄えを良くして伝わる文書にするための編集・各種設定から印刷までの一連の流れを理解しやすいように図解しています。また、ExcelやPowerPointなどとの連携も丁寧に図解しました。
- Wordの機能の中で、頻繁に使う機能はもれなく解説し、本書さえあればWordのすべてが使いこなせるようになります。特に便利な機能や時短、効率アップに役立つ操作は、を豊富なコラムで解説していて、格段に理解力がアップできようになっています。
- Microsoft365にも完全対応しているために、最新の操作方法を本書の中で解説しています。

## 紙面の構成

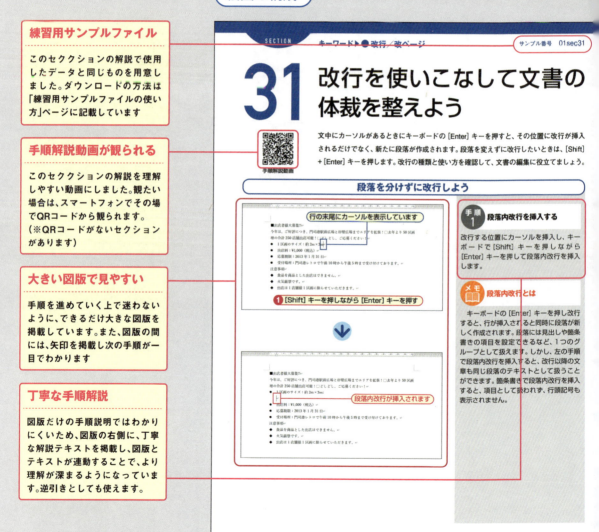

**練習用サンプルファイル**
このセクションの解説で使用したデータと同じものを用意しました。ダウンロードの方法は「練習用サンプルファイルの使い方」ページに記載しています

**手順解説動画が観られる**
このセクションの解説を理解しやすい動画にしました。観たい場合は、スマートフォンでその場でQRコードから観られます。（※QRコードがないセクションがあります）

**大きい図版で見やすい**
手順を進めていく上で迷わないように、できるだけ大きな図版を掲載しています。また、図版の間には、矢印を掲載し次の手順が一目でわかります

**丁寧な手順解説**
図版だけの手順説明ではわかりにくいため、図版の右側に、丁寧な解説テキストを掲載し、図版とテキストが連動することで、より理解が深まるようになっています。逆引きとしても使えます。

## 本書で学ぶための3ステップ

### ステップ1：操作手順全体の流れを見る
本書は大きな図版を使用しており、ひと目で手順の流れがイメージできるようになっています

### ステップ2：解説の通りにやってみる
本書は、知識ゼロからでも操作が覚えらるように、手順番号の通りに迷わず進めて行けます

### ステップ3：逆引き事典として活用する
一通り操作手順を覚えたら、デスクの傍に置いて、やりたい操作を調べる時に活用できます。また、豊富なコラムが、レベルアップに大いに役立ちます

---

## 豊富なコラムが役に立つ

手順を解説していく上で、補助的な解説や、時短が可能な操作、より高度な手順、注意すべき事項など、コラムにしています。コラムがあることで、理解が深まることは間違いありません

## コラムの種類は全部で6種類

 **メモ**：補助的な解説をしています。最低限知っておくべき事項などをシンプルに説明しています

 **便利技**：これを知っておけば、ビジネスなどに役立つノウハウを中心に、多角的な内容の解説です

 **注意**：ミスをしないためのポイントとなることや、勘違いしやすい注意点などを解説しています

 **時短**：いつも仕事が驚きの時短になるノウハウを中心に、効率アップ術も網羅しています

 **裏技**：意外と知らない操作方法や、一度覚えると使いこなしたくなる高度なテクニックの解説です

 **完成**：手順を進めていった結果をわかりやすく説明しています。これがあると迷うことはありません

---

### ページの途中で改ページを挿入する

**手順1** 改ページを挿入する

改ページを挿入したい位置にカーソルを移動し、キーボードで [Ctrl] キーを押しながら [Enter] キーを押す。

1. 改ページを挿入する位置にカーソルを表示
2. [Ctrl] キーを押しながら [Enter] キーを押す

改ページが挿入されカーソルの位置以降が次のページに移動します

**4 文書編集機能を使いこなそう**

---

 **改行記号の表示/非表示を切り替える**

テキストが改行されていても、それが段落を伴う改行なのか、段落内改行なのかわかりません。改行を意識して編集する場合には、改行記号を表示させておきましょう。改行記号を表示するには、[ファイル] タブを選択し、Backstage ビューの左メニューの最下部にある [オプション] をクリックして、[Word のオプション] ダイアログボックスを表示し、左のメニューで [表示] を選択して、[段落記号] をオンにします。なお、段落を伴う改行は↵で、段落内改行は↓で表示されます。

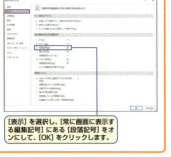

[表示] を選択し、[常に画面に表示する編集記号] にある [段落記号] をオンにして、[OK] をクリックします。

## はじめに

　Word 2021には、"劇的"な進化はありません。しかし、ユーザーに優しい機能が増えています。目への負担が考慮されていたり、読みやすさにフォーカスされていたりするなど、快適に使うための機能改善が進んでいます。既存の機能に新機能を組み込むことで、便利で高度な機能を違和感なく利用できます。また、テレワークの普及によるインターネットを介した業務でのニーズに応えて、共同編集機能や校閲機能といった機能が強化されています。

　Wordは、Excelのように複雑な操作手順を学ぶよりも、使い慣れることで上達するアプリです。本書では、Wordの利用頻度の高い機能を中心に、覚えておくと便利な機能や手際よく作業を進めるためのテクニックなど、図で手順を追いながら丁寧に解説しています。Word 2021およびMicrosoft365は、ユーザーに優しく、親しみやすいアプリに進化しています。本書が、Word 2021およびMicrosoft365を使いこなすための一助となれば幸甚です。

2022年1月
吉岡　豊

|   | | |
|---|---|---|
| 本書の使い方 | …………………………………………………… | 2 |
| はじめに | …………………………………………………………… | 4 |
| 手順動画を観る方法／練習用サンプルファイルの使い方 | …… | 17 |
| パソコンの基本操作を確認しよう | ………………………… | 18 |
| 書籍内容へのお問い合わせ方法 | …………………………… | 22 |

## 0章　Word2021の新機能はこれだ！　　　23

### 01 ● Word2021の新機能をチェックしよう …………………… 24
親しみやすいデザインになった
みんなで編集・チェック！文書作成効率が劇的にアップ
上書き保存したかどうかを気にしなくて済む！
著作権を気にしないで画像・イラストが使える
長い文章も楽に読める
プレゼンに便利！手書きの軌跡を再生できる
スケッチ風の図形を描ける
ダークモードで目の負担を軽減する

### 02 ● Office 2021とMicrosoft365の違いを知っておこう ………… 28
販売形態が違う
インストールの概念が違う
Office2021は機能が追加されない
Microsoft365には1TBのオンラインストレージが用意される
Office2021のサポート期間は約5年間
Office2021とMicrosoft365のどちらを選べばよいか？

### 03 ● 連携プレイでWordの活用範囲を広げよう …………………… 32
複数のパソコンと連携！　共同編集でコストと時間を削減できる
スマートフォンやタブレットとの連携で効率アップ
Excelとの連携でWordの苦手な領域をカバー
PowerPointとの連携でプレゼン作成も効率アップ

### 04 ● 使いこなすと便利なWordのテクニック …………………… 34
書式の貼り付けはまとめてやろう
ストック画像で不要な気遣いから解放されよう
レイアウトデストロイヤーをやっつけよう
越えていこう！インデントの壁
行間の呪縛から解放されよう
便利すぎて出力紙での校閲には戻れない
プリンター？　プリンタ？　用語統一の不安を解消
差し込み印刷をさまざまな業務に使ってみよう

## 1章　Wordってどんなソフト？　　37

### 05 ● Word2021とは？ …………………………………………38
Wordではこんな書類が作れる
文字を間違えても修正が簡単
イラストも写真もバランスよく表示できる
手間のかかる表やグラフも簡単に作れる

### 06 ● Wordを起動／終了する ……………………………………40
Wordを起動します
Wordを終了します

### 07 ● Wordの画面構成 ……………………………………………44
Wordの画面構成

### 08 ● リボンの使い方を覚えよう …………………………………46
Wordの機能を利用する

### 09 ● ウィンドウ操作を使いこなして作業効率を上げよう ……48
ウィンドウを切り替える
ウィンドウを並べて表示する

### 10 ● ヘルプを使いこなして快適に作業しよう …………………51
わからないことをヘルプで検索しよう
Wordの操作をトレーニングしてみよう

## 2章　文字の入力と編集をマスターしよう　　53

### 11 ● 文字の種類を切り替える ……………………………………54
文字の種類を知っておこう
全角と半角の違いを知っておこう
入力する文字の種類を切り替える

### 12 ● ひらがな・カタカナを入力する ……………………………56
ひらがなを入力する
小さい「ゃ」や「ゅ」が付く読みを入力する
小さい「っ」が付く読みを入力する
読みを変換してカタカナを入力する

### 13 ● 漢字を入力しよう……………………………………………60
漢字を入力する

## 14 ● 文節・文章単位の入力 …………………………………………… 62
文章を変換する
文節を移動する
文節の区切りを修正して変換する

## 15 ● アルファベットを入力しよう ………………………………… 65
半角の数字やアルファベットを入力する

## 16 ● 記号や特殊文字を挿入しよう ………………………………… 67
読みを変換して記号を入力する
カッコ文字を入力する

## 17 ● 読みのわからない漢字を入力しよう ………………………… 70
手書きの文字から漢字を検索して入力する

## 18 ● 単語を登録して入力を効率化する …………………………… 71
「めーる」と入力するとメールアドレスを入力できるようにする

## 19 ● ファンクションキーを使って効率よく変換する ………… 72
ひらがなをカタカナに変換する
ひらがなを半角カタカナに変換する
ひらがなをアルファベットに変換する

# 3章　自由自在に文書を作成しよう　　75

## 20 ● 新しい文書を作成しよう ……………………………………… 76
新しい文書を作成する

## 21 ● 用紙のサイズを設定しよう …………………………………… 77
用紙のサイズを設定する

## 22 ● 用紙の向きを設定しよう ……………………………………… 78
印刷の向きを設定する

## 23 ● 縦書き／横書きを設定しよう ………………………………… 79
縦書きを設定する
特定の部分を縦書きにする

## 24 ● 文書の余白を設定しよう ……………………………………… 81
余白を設定する
余白を数値で設定する

25● 1ページの行数と1行の文字数を設定しよう ………………………… 83
　　　　1行の文字数と行数を設定する

26● テンプレートを使ってビジネス文書を作成しよう ……………… 85
　　　　テンプレートを利用して文書を作成する

27● 文書を保存しよう ……………………………………………………… 87
　　　　文書に名前を付けて保存する
　　　　文書をPDFファイルとして保存する

28● 文書ファイルを開こう ………………………………………………… 90
　　　　パソコンに保存されている文書を開く

29● 文書を印刷してみよう ………………………………………………… 92
　　　　Backstageビューの[印刷]画面を確認しよう
　　　　[印刷]画面の機能
　　　　印刷結果を印刷前に確認する
　　　　印刷プレビューを拡大する
　　　　文書を印刷する

## 4章　文書編集機能を使いこなそう　　　　　　　　　　97

30● カーソルを手際よく移動しよう ……………………………………… 98
　　　　単語単位でカーソルを移動する
　　　　行の先頭・末尾にカーソルを移動する
　　　　前後の段落に移動する
　　　　文書の先頭・末尾にカーソルを移動する

31● 改行を使いこなして文書の体裁を整えよう ……………………… 102
　　　　段落を分けずに改行しよう
　　　　ページの途中で改ページを挿入する

32● 文字列を選択しよう ………………………………………………… 104
　　　　文字列を選択する
　　　　単語を選択する
　　　　段落を選択する
　　　　始点と終点を指定して範囲を選択する①
　　　　始点と終点を指定して範囲を選択する②

33● 文字列を修正する …………………………………………………… 108
　　　　前の文字を削除する
　　　　後ろの文字を削除する

　　　　文字をまとめて削除する
　　　　指定した位置に文字列を追加する
　　　　確定後の文字列を再変換する

### 34 ● 文字列をコピー／移動しよう……………………………………… 112
　　　　文字列をコピーする
　　　　文字列を移動する
　　　　ドラッグ＆ドロップして文字列を移動する

### 35 ● 間違った操作を取り消す……………………………………………… 115
　　　　1つ前の状態に戻す
　　　　履歴を指定して操作をさかのぼる

### 36 ● 検索と置換を活用しよう……………………………………………… 117
　　　　指定したキーワードを検索する
　　　　キーワードを他のキーワードに置き換える

## 5章　文書の第一印象を良くするためのテクニック　119

### 37 ● 書式を変更して文字列を読みやすくしよう……………………… 120
　　　　文字のサイズを変更する
　　　　フォントの種類を変更する
　　　　既存のフォントとフォントサイズを変更する

### 38 ● 書式を設定して強調しよう………………………………………… 123
　　　　文字列に太字を設定する
　　　　斜体を設定する
　　　　下線を設定する

### 39 ● 文字に色や効果を設定する………………………………………… 125
　　　　文字列に色を付ける
　　　　文字に効果を設定する
　　　　キーワードをマーカーで強調する

### 40 ● 文字列への設定を他の部分にコピーしよう……………………… 128
　　　　書式を他の文字列に適用する
　　　　複数の個所に書式を適応する

### 41 ● コピーの貼り付け方を使いこなして効率アップしよう………… 130
　　　　元の書式を保持して貼り付ける
　　　　2つの書式を統合して貼り付ける

コピーした範囲を図として貼り付ける
貼り付け先の書式を適用して貼り付ける

## 42 ● 配置を指定してレイアウトを整えよう ……………………… 134
文字列を右揃えで配置する
左揃えと両端揃えの違いを確認しよう
項目を均等割り付けで配置する

## 43 ● 段落や箇条書きをわかりやすく見せよう……………………… 137
連番の箇条書きを設定する
行頭文字の箇条書きを設定する
リストの途中から番号を振りなおす

## 44 ● 文字や段落への罫線や網かけ設定 …………………………… 141
段落に罫線を引く
文字に網かけを設定する
選択範囲を影付きの罫線で囲む

## 45 ● 書式を一括で変更するテクニックを知っておこう …………… 144
特定のキーワードの書式を一括で変更する
特定のフォントを別のフォントに置き換える

## 46 ● インデントで段落の開始位置を調節しよう …………………… 149
インデントとは
インデントの種類
ルーラーを表示する
インデントを利用して段落の位置を調節する
［インデントを増やす］ボタンを利用して左端を調節する

## 47 ● タブを使って単語やセンテンスをきれいに配置しよう ……… 153
タブとは
文章にタブを挿入する
同じ項目の文字列を右端で揃える

## 48 ● 行の間隔を設定しよう ………………………………………… 156
行間とは？
段落の行の間隔を変更する
特定の値を指定して行間を調節する

## 49 ● ドロップキャップを設定して読みやすくしよう ……………… 159
ドロップキャップを設定する
ドロップキャップの設定を変更する

50 ● 段組みを設定しよう ……………………………………… 161
　　段組みとは
　　段組みを設定する

## 6章　表やグラフを挿入しよう　　　163

51 ● 表を作成しよう ………………………………………… 164
　　表を挿入する

52 ● 表の操作方法を覚える ………………………………… 166
　　セルを左右に移動する
　　行の先頭・末尾のセルにカーソルを移動する
　　カーソルをセル内の文字間で移動させる
　　特定のセルを選択する
　　行を選択する
　　列を選択する
　　表全体を選択する

53 ● 表を編集しよう ………………………………………… 172
　　行と列を追加する
　　列を追加する
　　行を削除する
　　セルを挿入・削除する

54 ● 行や列をコピーする・移動する ……………………… 177
　　行や列をコピー／移動する

55 ● 行・列の高さ／幅を調整する ………………………… 179
　　ドラッグ操作で列の幅を調整する
　　ダブルクリックで列幅を自動調整する
　　列幅を均等にそろえる
　　表の幅をウィンドウの幅に合わせる

56 ● セルを結合・分割する ………………………………… 182
　　セルを結合・分割する
　　表を分割する

57 ● データの表示を整える ………………………………… 185
　　文字列の配置を変更する
　　文字の向きを切り替える
　　セルの余白やセルの間隔を設定する

## 58 ● 表のデザインを変更しよう ……………………………………… 188
表にスタイルを適用する
罫線のスタイルを変更する
表のデザインを編集する

## 59 ● 表の合計を計算しよう ……………………………………… 192
店舗別の合計を計算する
セルを指定して計算する
平均値を算出してみよう

## 60 ● 表のデータを並べ替えよう ………………………………… 196
表全体のデータを並べ替える
表の一部のデータを並べ替える

## 61 ● Excelの表をWordで活用しよう ………………………… 199
Excelの表をそのままWordに貼り付ける
Excelの表を画像として貼り付ける
Excelの表とWordの表を関連付けて貼り付ける

## 62 ● グラフを作成しよう ………………………………………… 202
グラフの構成を覚えておこう
グラフを作成する
グラフのデータを入力する
グラフの値を変更する
グラフの参照範囲を変更する

## 63 ● グラフのデザインを変更する ……………………………… 207
グラフのレイアウトを変更する
グラフのスタイルを変更する
グラフの種類を変更する
グラフの要素の表示／非表示を切り替える

## 7章　図形を利用してわかりやすい文書を作成しよう　　211

### 64 ● 地図を描くための領域を挿入する ……………………… 212
描画キャンバスとは
描画キャンバスを挿入する

### 65 ● 簡単な図形を描いてみよう …………………………… 214
直線を引く
四角形を描く

### 66 複雑な図形を描いてみよう ……………………………… 218
フリーフォームで図形を描こう

### 67 ● 図形を編集しよう ……………………………………… 222
線の太さと種類を変更する
図の色と枠線の色を変更する
吹き出しに文字を入力する
吹き出しを微調整する

### 68 ● アイコンを挿入しよう ………………………………… 228
アイコンを挿入しよう

### 69 ● 手書きで書きこんでみよう …………………………… 230
手書きで文字や図形を書き込む
アクションペンで文字列を選択する
アクションペンで文字列を削除する
インクでの書き込みを再生する

### 70 ● 図形の配置を整えよう ………………………………… 234
図の重なり順を変更する
図形を等間隔に配置する

### 71 ● 図形に文字列の折り返しを設定しよう ……………… 236
図形に文字列の折り返しを設定する
文字列の折り返しの種類を理解しよう
既定の文字列の折り返しを変更する

## 8章　文書の見映えを良くする便利技　　239

**72 ● タイトルのロゴを挿入しよう** ……………………………… 240
　　ワードアートを挿入する

**73 ● ワードアートを編集しよう** ………………………………… 242
　　ワードアートのサイズを調節する
　　ワードアートの書式を変更する

**74 ● 文書に写真を挿入しよう** …………………………………… 245
　　写真を挿入する
　　写真の配置を調整する

**75 ● 写真を加工しよう** …………………………………………… 248
　　写真の明るさと色を変更する
　　写真の色を修整する
　　写真を加工する
　　写真にスタイルを適用する

**76 ● 写真を切り抜こう** …………………………………………… 252
　　写真を切り抜く
　　縦横比を指定して切り取る
　　写真にスタイルを適用する

**77 ● SmartArtで複雑な図を作成しよう** ……………………… 256
　　組織図を作成する
　　組織図を編集する
　　組織図の配色を変更する

**78 ● イメージ通りの写真・イラストを探そう** ………………… 260
　　ストック画像を利用しよう
　　スクリーンショットを挿入する
　　3Dモデルを挿入しよう

**79 ● 透かし文字を挿入してみよう** ……………………………… 265
　　透かし文字とは
　　透かし文字を挿入する

**80 ● QRコードを挿入しよう** …………………………………… 267
　　QRコードを挿入する

# 9章　効率的に書類を作成するためのテクニック　269

## 81 アウトラインモードを利用して文書の骨組みを作る……………270
見出しを入力する
見出しレベルを変更する
本文を入力する
見出しを入れ替える
アウトラインモードを閉じる

## 82 文書にスタイルを適用する……………………………………274
文書のスタイルをまとめて変更する
配色を変更する

## 83 スタイルを編集してみよう……………………………………276
既存のスタイルを編集する
見出しの書式変更を他の見出しにも反映させる

## 84 章や見出しに番号を表示させる………………………………278
見出しの番号を設定する
見出しのインデントを調節する

## 85 図や表に通し番号を付ける……………………………………280
図表番号とは
図表番号を挿入する

## 86 単語に脚注を付ける……………………………………………282
単語に脚注を設定する

## 87 目次を作成しよう………………………………………………284
目次を作成する
図表目次を作成する

## 88 索引を作成してみよう…………………………………………286
索引の用語を登録する
索引を挿入する

## 89 ヘッダー・フッダーにページ数や情報を表示させよう………288
ページ上部に章タイトルを表示する
ページ下部にページ番号を挿入する

## 90 ふりがなを表示しよう…………………………………………290
ふりがなを表示する
同じ単語にまとめてフリガナを振る

## 91 ● 特殊な文字を入力してみよう……………………………………292
囲み文字を入力する
組み文字を挿入する
縦書きの中の数字を縦書きに切り替える
数式を入力する

## 92 ● 文書を外国語に翻訳してみよう……………………………………296
日本語を翻訳して入力する
文書全体を翻訳する

## 93 ● 文書を共有しよう………………………………………………………298
文書を他のユーザーと共有する
文書を共同編集する
共有相手と共同編集する

## 94 ● 変更履歴とコメントを使ってミスのない書類にしよう…………302
コメントを挿入する
コメントに返答する

## 95 ● 変更履歴を利用して文書をチェックしよう………………………304
変更履歴を記録する
校正を文書に反映する

## 96 ● 2つの文書の違いを比較しよう………………………………………306
2つの文書を比較する

## 97 ● 文書をチェックして修正しよう………………………………………308
自動的に抽出されたミスを修正する
表記ゆれを修整する

## 98 ● 文書を保護しよう………………………………………………………310
編集可能な範囲を指定して文書を保護する

## 99 ● 差し込み印刷でラベルを印刷しよう…………………………………312
ラベルに宛先を印刷する

本書手順項目索引……………………………………………… 315
用語索引………………………………………………………… 319
ローマ字入力かな対応表……………………………………… 324

## 手順解説動画を観る方法

**YouTubeで動画が観られます**

● パソコンからは下記のURLからサイトにアクセス
　https://www.shuwasystem.co.jp/support/7980html/6662.html
● スマートフォン・タブレットからは、下記のQRコードからサイトにアクセス

● サイトの動画フォルダーにあるテキストファイルに表示されたYouTubeのURLから動画が観られます

弊社のYouTubeチャンネル

## 練習用サンプルファイルの使い方

**ファイルをダウンロードします**

● パソコンからは下記のURLからサイトにアクセス
　https://www.shuwasystem.co.jp/support/7980html/6662.html
● スマートフォン・タブレットからは、下記のQRコードからサイトにアクセス

**手順❶** 「はじめてのWord 2021」サポートページが開きます
**手順❷** サンプルファイルが入ったフォルダーダウンロードします
**手順❸** ダウンロードしたフォルダーは圧縮(zip)されていますので、アプリを使って解凍します
**手順❹** 解凍後は、練習用サンプルファイルが活用できるようになります
　　※ サンプルファイルのフォルダーには、章番号とセクション番号が付けられています
　　※ サンプルファイルがないセクションもあります
**手順❺** さっそくサンプルファイルを開いて練習用として使ってみましょう

（注意）
ダウンロードしたデータの利用、または利用したことで関連して生じる、データ及び利益についての被害、すなわち特殊なもの、付随的なもの、間接的なもの、および結果的に生じたいかなる種類の被害、損害に対しての責任は負いかねますのでご承知ください。また、ホームページの内容やデザインは、予告なく変更される場合があります。ダウンロードしたデータの複製や商用利用などのすべての二次的使用は固く禁じられています。

# パソコンの基本操作を確認しよう

はじめに、お使いのパソコンがどのタイプにあたるか確認してください。機能的に変わりはありませんが、デスクトップ型の場合は「マウス+キーボード」、ノート型の場合は「タッチパッド+キーボード」または「スティック+キーボード」で操作することになります。タブレット型や一部のノート型ではタッチパネルで操作する機種もあります。タッチパネルの操作はp.22を参照してください。

## ●マウス操作

### ●マウスカーソル

画面上の矢印をマウスカーソル（ポインタ）といいます。マウスの動きに合わせて、画面上で移動します。

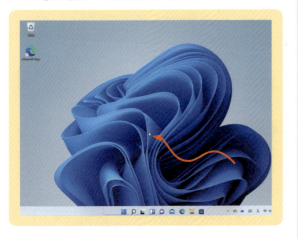

### ●マウス

軽く握るような感じでマウスの上に手のひらを置き前後左右に動かします。

### ●トラックパッド

マウスポインタを移動させたい方へパッド部分を指でなぞります。タッチパッドともいいます。

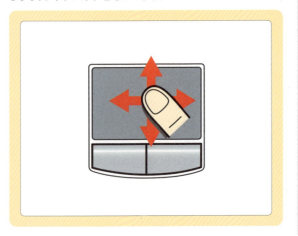

### ●スティック

こねるようにスティックを押した方へマウスポインタが移動します。

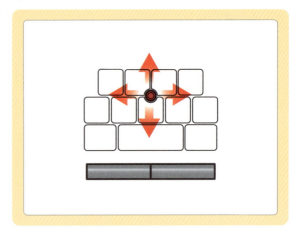

●ポイント

目標物の上にマウスポインタをのせることを「ポイント」といいます。

●クリック

マウスの左ボタンをカチッと1回押すことを「クリック」といいます。

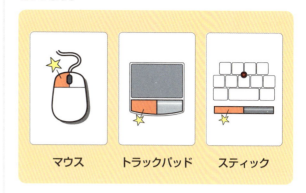

●ダブルクリック

マウスの左ボタンを素早くカチカチッっと2回押すことを「ダブルクリック」といいます。

●右クリック

マウスの右ボタンをカチッと1回押すことを「右クリック」といいます。

●ドラッグ

マウスのボタンを押したままの状態でマウスを動かすことを「ドラッグ」といいます。

●ドラッグ&ドロップ

マウスのボタンを押したままの状態でマウスを動かし、目的の位置でボタンを離すことを「ドラッグ&ドロップ」といいます。

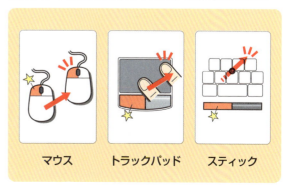

## ●手を使ったタッチ操作

- タップ

▲画面をタップするとタップした項目が開く。マウスのクリックに相当。

- ダブルタップ

▲画面を連続してタップする。マウスのダブルクリックに相当。

- フリック

▲画面を指で払う。フリックした方向に画面がスクロール。

- プレスアンドホールド(長押し)

▲指を押しつけて1.2秒間そのままにする。マウスの右クリックに相当。

## ● Windowsパソコンで使うキーボードと主なキー

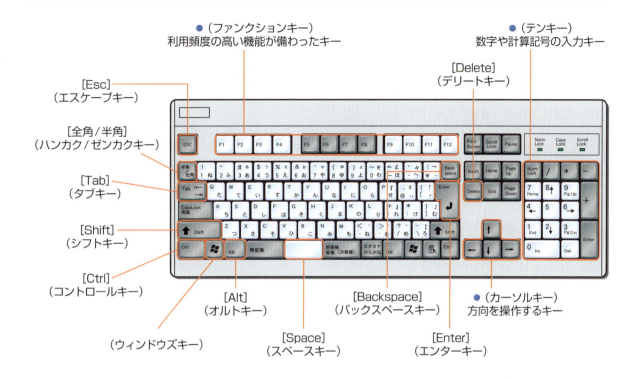

## ● Windows IMEの日本語入力

　キーボードの[全角/半角]キーで、全角の日本語と半角の英数字が切り替わります。タスクトレーのIMEインジケーターが[あ]なら全角の日本語が入力できます。[A]なら半角の英数字です。IMEインジケーターをマウスでクリックすれば、半角のカナや全角カタカナも選べます。

キーボードの[全角/半角]キーを押してタスクトレーのIMEインジケーターを**あ**にする

キーボードを順番に[y][o][k][o][h][a][m][a]と押すと**よこはま**と表示され下に候補が表示されます

[d]キーを1回押すと横浜に変わり候補が消える

[Enter]キーを押すと下線が消えて入力と変換が確定します

## 書籍の内容へのお問い合わせ方法

本書に掲載されている手順解説に従って操作をして紙面と結果が違う場合や、紙面と同じ操作ができない場合は、下記の内容を記載し、問い合わせフォーム・電子メール・FAX・郵便での問い合わせができます。

### お問い合わせ時の必要事項のご案内

**必要事項① 書名の明記**
必ず正確な書名を明記してください。本書は「はじめてのWord 2021」です

**必要事項② 問い合わせするページの明記**
問い合わせしたいページ番号と手順内容を明記してください。ページ番号がないと、本書に関する問い合わせと判断できずサポート外ということでご回答ができません

**必要事項③ ご使用環境の明記**
読者の皆様が使用しているパソコン環境を明記してください。必要な項目として、OS(例:Windows11/10など)やエディション(例:Home/Proなど)を正確に明記してください。アプリケーションの場合も同じようにバージョン(例:Word2021/2019など)を正確に記載してください。この記載がない場合は、ご回答ができないことがあります

**必要事項④ トラブル現象の詳細情報**
目の前で発生しているトラブルに至るまでの操作手順の情報、エラーメッセージはどのような表示なのかなども正確にお知らせください

### 問い合わせフォームの記入例

弊社ホームページ(https://www.shuwasystem.co.jp)に下記のような「問い合わせフォーム」がございますのでご利用ください。

### 問い合わせ先の情報など

電子メール・FAX・郵便などで問い合わせする場合は、下記の宛先へお願いいたします
【住所】 〒135-0016 東京都江東区東陽2-4-2新宮ビル2F
　　　　株式会社秀和システム
　　　　秀和システムサービスセンター宛
【FAX】 03-6264-3094
【電子メール】 s-info@shuwasystem.co.jp

(お断り)
問い合わせ内容は、弊社発行の書籍に対する内容のみとなりますので、ご了承ください。書籍以外の問い合わせにつきましては、サポート外となり回答ができません。また、ご回答ができるまでの時間は、問い合わせ内容によって変わります。また、お急ぎのお問い合わせについては、対応ができませんので、ご了承ください。

# 0章

## Word 2021の
## 新機能はこれだ！

Office 2021は、1度購入すれば追加料金が発生しないだけでなく、ユーザーのニーズに応えるだけの高い性能を備えています。この章ではWord 2021の特徴を中心に、Microsoft 365とOffice 2021のメリットとデメリットや新機能などを説明します。

SECTION キーワード▶Wordの新機能

# 01 Word 2021の新機能をチェックしよう

Word 2021では、Windows 11の大幅なデザイン変更に合わせて、親しみやすいデザインに一新されました。また、リモートワークに便利な、共同編集機能や自動保存機能が追加されています。新しくなったWordの機能をチェックして、業務に活かしてみましょう。

## 親しみやすいデザインになった

・Word 2019の画面

▲コントラストがはっきりしていて、メリハリがついたデザインです

・Word 2021の画面

▲優しい配色でウィンドウの角も丸みを帯び、親しみやすさを演出しています

**Wordのデザインが一新された**

Windows 11では、親しみやすさと落ち着きを感じられる「Fluentデザイン」が採用され、レイアウトとデザインが大幅に見直されました。それを受けて、Office 2021でもデザインが一新されています。白を基調とした優しい配色に変更され、ウィンドウやダイアログボックスは、垂直だった角がなだらかな角丸になって、親しみやすさを演出しています。

## みんなで編集・チェック！ 文書作成効率が劇的にアップ

▲文書への変更はリアルタイムで反映されるため、コメントやチャットを使って相談しながら進められます

### 便利技 共同編集機能がOffice 2021でも使えるようになった

Microsoft 365ではすでに導入されていた共同編集機能が、Office 2021で使えるようになりました。これにより、OneDriveに保存されている文書を、同時に複数のパソコンから編集することができます。また、コメントを使って意見を出し合いながら編集を進めたり、変更履歴を記録して、編集工程を管理したりすることもできます。

▲[変更履歴]を利用して誰がいつ、どんな変更を加えたかを管理することができます

## 上書き保存したかどうかを気にしなくて済む！

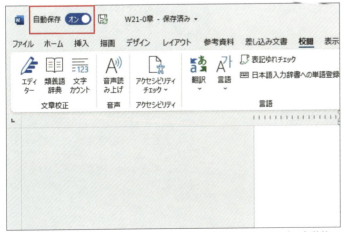

▲自動保存機能が有効になっていると、変更が加えられるたびに自動的に上書き保存されます

### メモ 自動保存機能で保存忘れがなくなった

Word 2021では、変更が追加されると、その都度上書き保存が実行される自動保存機能が利用できるようになりました。上書き保存忘れがなくなり、文書を常に最新の状態に保つことができます。

## 著作権を気にしないで画像・イラストが使える

▲多くのカテゴリに該当する写真やイラストが用意されています

▲さまざまなシーンを想定した人物の切り抜きが用意されています

### メモ ストック画像を使おう

「ストック画像」は、マイクロソフトが用意した著作権フリーの写真やイラスト、アイコンなどのことです。著作権フリーの素材のため、クリエイターに使用の許諾を得る手間がかからず、使用料がかかることもありません。なお、Office 2021では使用できるストック画像に制限があり、すべてのストック画像を使用するにはMicrosoft 365への切り替えが必要です。

## 長い文章も楽に読める

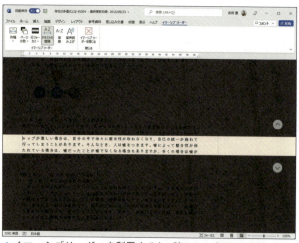

▲イマーシブリーダーを利用すると、読みたい部分だけをハイライトできます

###  便利技 読みたい部分だけをハイライトする

文字が多い文書では、目がチカチカして読みづらいときがありますよね。また、ちょっと目を離すと読んでいた個所がわからなくなることもあります。そんなときには、読んでいる箇所をハイライトできる「イマーシブリーダー」を使うと便利です。指定した行数以外を隠したり、目に優しい背景色に変更したりできるなど、読むことに特化した機能です。

## プレゼンに便利！手書きの軌跡を再生できる

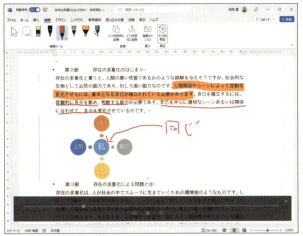

▲書き込んだ順番に書き込みの軌跡をアニメーションで再生できます

**裏技　プレゼンテーションに役に立つインクの再生**

講義やプレゼンテーションでは、資料に手書きしながら説明すると説得力が上がります。しかし、たくさん手書きされた資料はわかりづらく、同じ説明をする際に繰り返し使えません。こんなときには、手書きの軌跡を動画で再生できるインクの再生機能を使うと便利です。書き込んだ順番にゆっくり再生され、早送り、巻き戻しも可能です。

## スケッチ風の図形を描ける

▲スケッチ風線種で親しみのある図形を描けます

**メモ　スケッチ風の図形で親しみやすさを表現**

図形の挿入機能では、図形の線種に「スケッチ」が追加されました。スケッチの線種は、曲がり方が違う3種類の線があります。子どもを対象としたチラシや書類で、親しみやすさを演出するといった使い方ができます。

## ダークモードで目の負担を軽減する

▲文書の背景が黒、文字が白で表示されるため、目の負担を大きく減らせます

**便利技　ダークモードで表示する**

Word 2021では、ダークモード機能が新たに搭載されました。Word 2021のダークモードは、編集画面の背景が黒、文字が白で表示されるため、目の負担が軽減されます。また、[モードの切り替え]をクリックするだけで、通常モードに切り替えられるため、印刷イメージを簡単に確認できます。

Word 2021の新機能はこれだ！

SECTION **02**

キーワード ▶ Microsoft365

# Office 2021とMicrosoft 365の違いを知っておこう

Microsoft Officeパッケージには、サブスクリプション版のMicrosoft 365と永続ライセンス版のOffice 2021があります。これらの違いは、単純に販売方法の違いにとどまらず、機能や使い方も大きく左右します。Microsoft 365とOffice 2021の違いを知っておきましょう。

## 販売形態が違う

### ・Office 2021

Office 2021は、ソフトウェアパッケージを購入します。購入したOffice 2021は、ユーザーの所有物になり、以降新たな対価は発生しません。Office Home & Business 2021やOffice Personal 2021、Office Professional 2021などのパッケージが用意されており、含まれるアプリの種類と価格が異なります。サポート期間は発売から約5年で、最大2台のパソコンにインストールできます。また、Office 2021に含まれるアプリは、単独でも購入できます。

### ・Microsoft 365

Microsoft 365は、ソフトウェア使用権に対して対価が発生し、1か月または1年単位で使用料を支払います。すべてのアプリが利用でき、1TBのOneDrive容量が付属しています。インストールできるパソコンの台数に限りはなく、最大5台まで同時に利用できます。また、新機能が随時追加され、常に最新機能を使用することができます。

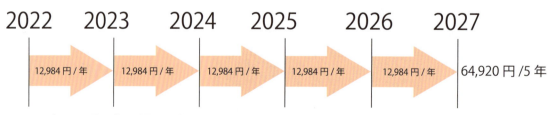

## インストールの概念が違う

### ・Office 2021

Office 2021では、WindowsまたはMacを問わず、最大2台のパソコンにインストールできます。ただし、インストールしたパソコンからしか利用できず、別のパソコンで利用する場合は、既存のパソコンからOffice 2021をアンインストールする必要があります。

・特定の2台のパソコンにのみインストール可

### ・Microsoft 365

Microsoft 365は、インストール台数に制限はありませんが、最大5台のパソコンからサインインできます。同時にアクセスする台数を越えなければ、いつでも、どこからでもアプリを利用できます。

・インストールは無制限
・1アカウントにつき5同時アクセスまで可能

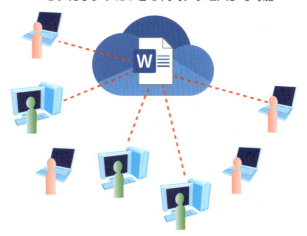

## Office 2021は機能が追加されない

Microsoft 365は、定期的にアップデートされ、新機能も追加されます。Office 2021も定期的にアップデートされますが、機能は追加されません。新しい機能を利用したいときは、Microsoft 365に乗り換えるか、次バージョンに買い替える必要があります。

既存機能は修正・更新されるが新機能は追加されない

既存機能は修正・更新され、新機能も追加される

## Microsoft 365には1TBのオンラインストレージが用意される

Microsoft 365に加入すると、無償でOneDriveの容量1TBが付加されます。1TBは、4.7GBのDVDなら約211枚、1枚4MBの写真なら約25万枚、4分5MBの楽曲を約20万曲保存できます。Office 2021の購入によって、OneDriveの容量は付加されませんが、マイクロソフトアカウントを作成すると、容量5GBが付加されます。

▲Microsoft 365に加入するとOneDriveの容量1TBが付与されます

▲Office 2021では、Microsoftアカウント作成時にOneDriveの容量5GBが付与されます

## Office 2021のサポート期間は約5年間

Office 2021のサポート期間は、5年です。従来のOffice永続ライセンス版では、メインのサポート期間5年に加えて、延長サポート期間が2～5年ありましたが、Office 2021では、延長サポートは予定されていません。Microsoft 365には、サポート期限が設けられておらず、契約を解除するまでは続けてサポートされます。

## Office 2021とMicrosoft 365のどちらを選べばよいか？

　これまで見てきたように、Office 2021は、Microsoft 365と比べて機能、サポート期間、初期コスト、同時使用台数において、メリットが少ないように思うかもしれません。しかし、よく考えてみてください。Word、Excel、PowerPointを必要としているユーザーは、何人いますか？　従来の機能で十分ではないですか？　初期投資が高くても、5年間追加コストがないならば、Microsoft 365よりもリーズナブル価格といえるでしょう。また、たとえサポート期間が終了したとしても、Officeが使えなくなることはありません。そういった意味で、Microsoft 365とOffice 2021のどちらを購入するのが得かという議論は、あまり意味がありません。使用人数と使用頻度、目的などを多角的に検討してOffice 2021またはMicrosoft 365を導入しましょう。

| 製品名 | Microsoft 365 Personal | Office Personal 2021 | Office Professional 2021 | Office Home & Business 2021 | Office Professional Academic 2021 | Office Home & Student 2021 for Mac | Office Academic 2021 for mac |
|---|---|---|---|---|---|---|---|
| 価格 | ¥12,984/1年間 または ¥1,284/1か月 | ¥32,784 | ¥65,780 | ¥38,280 | ¥30,580 | ¥26,180 | ¥18,480 |
| ライセンス形態 | サブスクリプション | 永続ライセンス | 永続ライセンス | 永続ライセンス | 永続ライセンス | 永続ライセンス | 永続ライセンス |
| Word | ● | ● | ● | ● | ● | ● | ● |
| Excel | ● | ● | ● | ● | ● | ● | ● |
| Outlook | ● | ● | ● | ● | ● |  | ● |
| PowerPoint | ● |  | ● | ● | ● | ● | ● |
| Access | ● |  | ● |  | ● |  |  |
| Publisher | ● |  | ● |  | ● |  |  |
| インストール数 | 同一ユーザーが使用する何台の端末でもインストール可能（同時使用は5台まで） | 同一ユーザーが使用する2台のWindows | 同一ユーザーが使用する2台のWindows | 同一ユーザーが使用する2台のWindows/Mac | 同一ユーザーが使用する2台のWindows PC | 同一ユーザーが使用する2台のMac | 同一ユーザーが使用する2台のMac |
| OneDriveストレージ | 1TB | 5GB | 5GB | 5GB | 5GB | 5GB | 5GB |

SECTION　キーワード ▶ 様々な連携機能

# 03 連携プレイでWordの活用範囲を広げよう

Wordには、書類を作成するために十分な機能が用意されていますが、表やグラフ、スライドなどの作成、ExcelやPowerPointの方が得意です。書類の資料としてそれらが必要な場合は、ExcelやPowerPointなどと連携させると、その機能や活用範囲は大きく広がります。

## 複数のパソコンと連携！ 共同編集でコストと時間を削減できる

チームでチェック・修正して効率アップ！

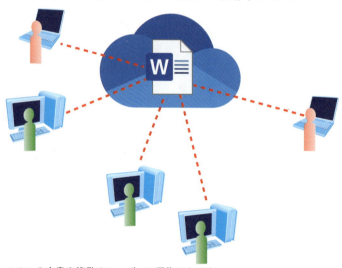

▲1つの文書を複数のユーザーで編集できます

▲変更はリアルタイムに反映され、コメントで内容を確認しながら進められます

 **便利技　他のユーザーと連携する**

論文やレポートなど、長い文書の作成やチェックは、1人でするよりも複数のユーザーと協業した方が、効率が良い場合があります。Word 2021では、1つの文書に複数のパソコンから同時に作業することができ、文書への変更はほぼリアルタイムで反映されます。また、コメントや変更履歴の記録などの機能を利用すると、相談・報告しながら進捗を確認し、作業を進めることができます。

## スマートフォンやタブレットとの連携で効率アップ

▲Android版Wordアプリの編集画面

**メモ いつでもどこからでも閲覧・編集**

スマートフォンやタブレットからWordを使いたいときは、Office on the Webが用意されています。iPhoneとiPadならAppStore、Android端末ならGoogle PlayストアからWordアプリを無償でインストールできます。Microsoft 365契約ユーザーは、閲覧とすべての編集機能を使った編集、Office 2021のユーザーなら閲覧と簡易編集を行えます（画面サイズが10.1インチ以上のタブレットでは閲覧のみ）。外出先から文書を確認・編集して、手際よく書類を作成しましょう。

## Excelとの連携でWordの苦手な領域をカバー

▲文書にExcelとリンクした表を挿入すると、表のデータが変更されても更新できます

**便利技 Excelで作成した表やグラフを文書に挿入する**

Wordには、Excelで作成した表やグラフを文書に合った形式で挿入する機能が用意されています。また、Excelの表と文書をリンクさせることができ、Excelの表のデータが変更されれば、Wordの文書も更新できます。ExcelとWordをうまく連携させて、ミスのない書類を効率よく作成しましょう。

## PowerPointとの連携でプレゼン作成も効率アップ

▲PowerPointにはWordのアウトラインを取り込んでスライドを作成する機能が用意されています

**メモ Wordと連携してプレゼン資料を作ろう**

Wordには、PowerPointのようなスライドを作成する機能は用意されていませんが、スライドの原稿を作ることはできます。アウトラインモードでスライドのタイトルと本文に当たる文章に見出しのスタイルを適用し、その文書をPowerPointに読み込むことで手際よくスライドを作成できます。また、PowerPointのスライドに、Wordの文書を組み込むこともできます。

Word 2021の新機能はこれだ！

33

SECTION

# 04 使いこなすと便利な Wordのテクニック

キーワード ▶ 使いこなしテクニック

書類の作成には、「入力・編集」、「画像・表などの挿入」、「レイアウト・体裁」、「デザイン・装飾」、「チェック・修正」、「保存・出力」の6つのステップがあります。それぞれのステップで、作業効率を大幅にアップする機能を紹介します。

## 書式の貼り付けはまとめてやろう

▲コピーした書式は複数の個所にまとめて貼り付けられます

**便利技** 書式のコピー/貼り付け

［書式のコピー/貼り付け］機能は、フォントの種類やサイズ、文字色などの書式をコピーして、他の文字列に適用できる便利でよく知られた機能です。しかし、コピーした書式を複数の個所に連続して貼り付けられることは、意外と知られていません。書式のコピペをマスターして、作業効率を上げてみましょう。参照：SECTION40

## ストック画像で不要な気遣いから解放されよう

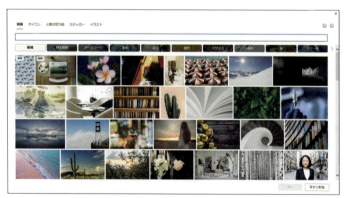
▲ストック画像は不要な気を遣わず自由に使えます

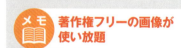
**メモ** 著作権フリーの画像が使い放題

「ストック画像」は、マイクロソフトが用意した著作権フリーの写真やイラスト、アイコンなどの画像です。数はそれほど多くありませんが、制作者に許諾を得たり、使用料がかかったりすることがないため、メリットが大きな機能です。また、検索機能で必要な画像を探しやすいため、あれこれ迷う時間と手間を省けます。参照：SECTION78

## レイアウトデストロイヤーをやっつけよう

▲文字列の折り返しを使いこなして、図や画像を自由に配置しよう

 **裏技 文字列の折り返し**

文書に画像や図形を挿入する際に立ちはだかる壁が「文字列の折り返し」です。画像を挿入したとたんにレイアウトが崩れ、想定していない位置に文字が表示されるということがあるでしょう。多くは文字列の折り返しが［行内］に設定されていることが原因のトラブルです。文字列の折り返しは、［上下］や［四角形］、［前面］の3つ特徴を覚えておくと、多くのトラブルが解決します。参照：SECTION71

## 越えていこう！インデントの壁

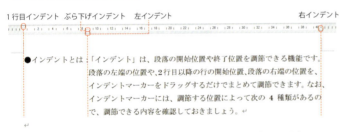
▲インデントを使いこなして、段落をスマートにレイアウトしよう

 **便利技 インデントは便利な機能**

「Wordが苦手」の理由のひとつに挙げられるのが、「インデント機能」です。「行の先頭が微妙に揃わない」など、文書の体裁を整えるための機能なのに、体裁が崩れてしまうトラブルが多発するからでしょう。インデントは、段落の先頭、末尾の位置を微調整する機能です。4種類のインデントマーカーの機能を理解すること、インデント調整時は表示の拡大率を上げることが、うまく使いこなすコツです。参照：SECTION46

## 行間の呪縛から解放されよう

▲行間をうまく調節するには、Wordの行間の定義を知っておく必要があります

 **裏技 行間の意味を知れば調節も簡単**

「文字のサイズを11ptに上げたら行間が開いた」というトラブルは、誰もが経験したことがあるでしょう。これは、1行の高さ（18pt）に「文字のサイズ＋上下の空白」が収まらず、2行で表示されるためです。Wordでの行間の定義や文字とグリッド線の関係について知っておけば、行間を自由に設定できるようになります。参照：SECTION48

## 便利すぎて出力紙での校閲には戻れない

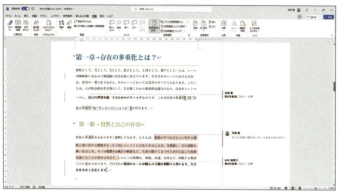

▲共同編集機能を使ってみると、すぐにその便利さを実感できます

**メモ　共同編集機能で校閲の効率アップ**

Word 2021では、これまでサブスクリプション版のみ利用できた共同編集機能が利用できるようになりました。これにより、1つの文書を複数のパソコンから同時に編集・チェックすることができます。変更はリアルタイムに反映され、その個所の編集者の名前を確認できます。また、コメントや変更履歴を併用すると、校閲作業を相談しながら進められたり、変更の適用・不適用を判断したりすることができます。参照：SECTION93

## プリンター？　プリンタ？　用語統一の不安を解消

◀表記ゆれチェックを利用すると表記のゆれを、すばやく修正できます

**便利技　表記ゆれチェック機能を使おう**

「プリンター」と「プリンタ」や「フォルダー」と「フォルダ」など、表記が揺れる単語は意外とたくさんあります。表記ゆれは、文書作成における代表的なミスのひとつといってもいいでしょう。しかも、これを探し出して修正するのは骨が折れます。表記ゆれをチェック・修正したいときは、[校閲]リボンにある[表記ゆれチェック]機能を利用すると、あっという間に解決します。参照：SECTION97

## 差し込み印刷をさまざまな業務に使ってみよう

◀差し込み印刷はさまざまな業務で応用できます

**差し込み印刷を使うには**

差し込み印刷といえば、ラベルの印刷を思い浮かべます。しかし、差し込み印刷は、ビジネスレターの宛名やはがき、封筒、値札などさまざまな用途に利用できます。差し込み印刷の手順を覚えて、さまざまな業務に応用してみましょう。参照：SECTION99

# 1章

## Wordってどんなソフト？

Microsoft Word 2021は、書類や文書を作成・編集するためのアプリで、2021年10月発売のMicrosoft Office 2021パッケージに含まれています。Word 2021では、ウィンドウの角が丸くなったり、ナイトモードに対応したりするなど、視覚的に親しみやすい工夫が加えられています。また、文書の共同編集機能が強化され、より効率的に作業が行えるようになりました。Word 2021を利用する前に、ソフトウェアの概要や特徴を知っておきましょう。

SECTION

キーワード ▶ ワードの基礎知識

# 05 Word 2021とは？

Wordには、インデントやラベル印刷といった便利な機能が用意されていますが、その利用には二の足を踏みがちです。Wordも進化を続け、複雑で高度な設定を簡単な操作でできるように工夫されています。ここでは、Wordの概要とそのメリットについて解説します。

## Wordではこんな書類が作れる

Wordを使うと、「グラフと写真、イラストを使ったプレゼン資料」や「地図と商品イメージが入ったお店のチラシ」など、さまざまな目的に合った書類を自由に作れます。また、「画像にキャプションを入れたい」や「用語を画像と脚注で説明したい」、「もくじと索引を作りたい」などといった、高度なリクエストにも対応した機能が用意されています。

・イベントのお知らせ

・申込書

・グラフの入った報告書

・プレゼン資料

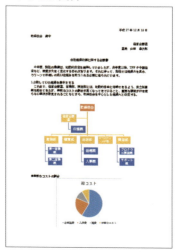

## 文字を間違えても修正が簡単

手書きで書類を作るときのことを思い浮かべてみましょう。文字を間違えてしまったら、修正液で消して書き直します。文章を別の表現で書きなおす場合には、書類全体を作り直すこともあるでしょう。Wordなら、間違えた部分を一瞬で修正できます。また、書類を作り直すことなく、文章の書き換えや入れ替えもできます。

文字をすばやく、簡単に修正できます

## イラストも写真もバランスよく表示できる

図や写真が入った書類は、読み手の興味を引ける上に、内容を具体化する手助けにもなります。イベントのお知らせを作る場合、地図を手書きするには、絵心がないと難しいでしょう。Wordでは、パソコンなどにあるイラストや写真を文書に簡単に挿入できます。また、図形を組み合わせて地図を描くことも可能です。

図やイラストが入っていると、具体的にイメージしやすくなります

## 手間のかかる表やグラフも簡単に作れる

レポートなどでは、文章で数字を示すよりも、表やグラフで数値をまとめた方がわかりやすいでしょう。表やグラフを手書きすると、正確性が求められるため、さまざまな点に気を配りながらの作業となり、ミスしがちです。Wordでは、簡単な操作でグラフや表を作成でき、適切な位置にそれらを表示できます。

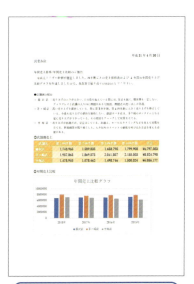

表やグラフが読みやすいと、一目で傾向や推移を読み取れます

SECTION

キーワード▶Wordの起動／終了

# 06 Wordを起動／終了する

手順解説動画

Wordの起動は、［スタート］ボタンをクリックし、スタートメニューで［Word］のアイコンをクリックするだけですが、まどろっこしさを感じることもあります。Wordの使用頻度が高い場合は、タスクバーにアイコンを表示させるなど、工夫してみましょう。

## Wordを起動します

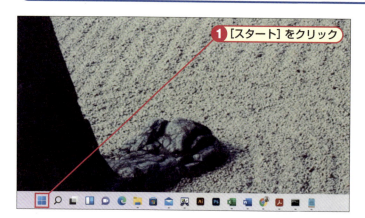
①［スタート］をクリック

②［Word］をクリック

**手順1 アプリの一覧を表示します**

［スタート］ボタンをクリックし、スタートメニューを表示します。

**手順2 ［Word 2021］を起動します**

アプリの一覧のインデックスで［W］を表示し、［Word 2021］をクリックすると、Word 2021が起動します。

**メモ スタートメニューにピン留めされる**

Office 2021をインストールすると、それに含まれるWordやExcelのアイコンは、自動的にピン留めされ、スタートメニューの［ピン留め済み］の一覧に表示されます。なお、Wordのアイコンを［ピン留め済み］から削除した場合は、スタートメニューの［すべてのアプリ］をクリックし、アプリの一覧でインデックスの［W］にある［Word］をクリックして起動します。

 **手順3** 白紙の文書を作成する

Wordを起動すると、スタート画面が表示されるので、[新規] にある [白紙の文書] をクリックして白紙の文書を作成します。

 **裏技** Wordをタスクバーにピン留めしよう

Wordの使用頻度が高い場合は、Wordのアイコンをタスクバーに表示させましょう。Wordをタスクバーにピン留めするには、[スタート] ボタンをクリックし、スタートメニューで [Word] を右クリックして、ショートカットメニューで [詳細] → [タスクバーにピン留めする] を選択します。

## Wordを終了します

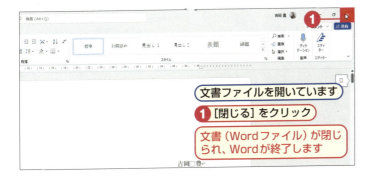

 **手順1** [閉じる] ボタンをクリックする

Wordを終了するには、ウィンドウの右上にある [閉じる] ボタンをクリックします。

 **メモ** クラウドに自動保存できる

Word 2021では、文書ファイルがOne DriveやSharePoint Onlineに保存されている場合、変更が加えられるたびに自動的に上書き保存できるようになりました。トラブルなどで、Wordが意図せず終了してしまった時でも、最新の状態のファイルを開くことができます。なお、自動保存を有効にするには、クイックアクセスツールバーにある [自動保存] をオンにします。

## メモ 未保存のデータを保存する

文書（Wordファイル）への変更が保存されていない状態でWordを終了しようとすると、次のダイアログボックスが表示され、変更の保存に関するメッセージが表示されます。文書（Wordファイル）への変更を保存する場合は［保存］ボタンを、変更を保存しない場合は［保存しない］ボタンを、ファイルの終了を取りやめて編集画面に戻る場合は［キャンセル］ボタンをクリックします。

［保存］をクリックするとファイルへの変更が保存されます

## 裏技 テンプレートを利用して文書を作成する

Wordには、履歴書やビジネスレター、レポートなどを簡単に作成できるテンプレートが数多く用意されています。テンプレートを利用して書類を作成するには、Wordを起動すると表示されるスタート画面の左側のメニューで［新規］を選択し、表示されるテンプレートの一覧で目的に合ったものをクリックします。また、検索ボックスにキーワードを入力して、テンプレートを検索することもできます。

スタート画面の［新規］に表示されるテンプレートの一覧で目的のテンプレートを探しましょう

## 裏技 起動時に白紙の文書が開くようにするには

Word 2021を起動すると、スタート画面（手順3の画面参照）が表示されます。Wordを起動するとすぐに白紙が表示されるようにするには、まずWordを起動し白紙の文書を作成して、［ファイル］タブをクリックし、表示されるBackStageビューの左のメニューで［オプション］を選択して［Wordのオプション］画面を表示します。次に左のメニューで［全般］を選択し、［起動時の設定］にある［このアプリケーションの起動時にスタート画面を表示する］をオフにして、［OK］ボタンをクリックします。

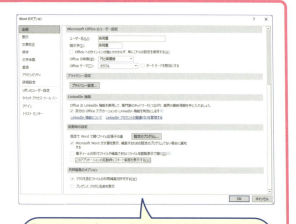

［Wordのオプション］画面の［全般］にある［起動時の設定］で、［このアプリケーションの起動時にスタート画面を表示する］をオフにし、［OK］をクリックします

## ダークモードで目の負担を軽減する

Word 2021では、目の負担を軽減するためにダークモードが追加されました。Wordのダークモードでは、編集画面の背景色が黒で、文字は白で表示されるため、画面から受ける光の量を大幅に減らすことができます。また、色などを確認したいときは、[表示] リボンにある [モードの切り替え] をクリックすると、編集画面だけノーマルモードに切り替わります。なお、Wordをダークモードに切り替えるには、[ファイル] タブを選択して [Backstageビュー] を表示し、左の下部にある [アカウント] をクリックして次の手順に従います。

① [アカウント] をクリック
② [Officeテーマ] のプルダウンメニューをクリック
③ [黒] を選択

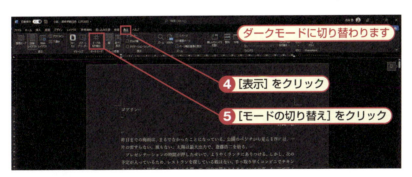

ダークモードに切り替わります
④ [表示] をクリック
⑤ [モードの切り替え] をクリック

編集画面だけノーマルモードに切り替わります

## SECTION 07 Wordの画面構成

キーワード▶Wordの画面

Wordでは、9つのタブに機能が格納されたリボンと編集画面から構成されています。リボンで書式や機能を指定し、編集画面にテキストを入力、画像を挿入して文書を作成します。すべての機能を覚える必要はありませんが、大まかな画面構成を知っておきましょう。

### Wordの画面構成

Wordの画面は、主にリボンと作業領域から成っています。リボンには、Wordの機能がタブに分類、格納されているので、タブを切り替えて確認しておきましょう。なお、タッチパネルやペンタブレットが使えるパソコンでは、[描画] タブや [タッチ] タブが、Adobe Acrobatがインストールされているパソコンでは [Acrobat] タブが表示されます。

・基本構造

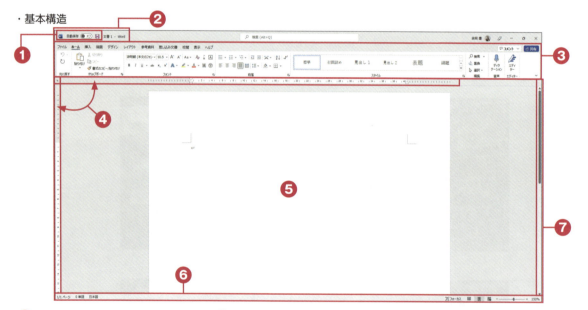

**❶ クイックアクセスツールバー**
OneDriveへの自動保存のオン/オフスイッチと上書き保存など、使用頻度の高い機能のツールボタンが配置されています。

**❷ タイトルバー**
開いている文書のファイル名が表示されます。

**❸ リボン**
リボンのタブ名に関連する機能がアイコンやボタンで表示されています。リボンの中でも関連する機能がグループにまとめられています。

**❹ ルーラー**
文字や画像、グラフなどの配置に利用する定規です。

**❺ 編集画面**
文字や画像などを挿入して書類を作成する領域です。

**❻ ステータスバー**
現在の状況など補足的な情報が表示されます。

**❼ スクロールバー**
文書の画面の表示位置を調節します。

・リボン

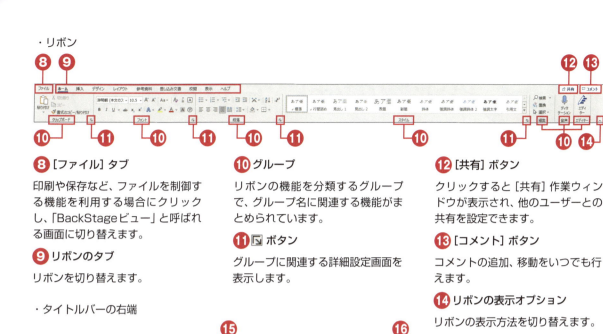

**8** [ファイル] タブ

印刷や保存など、ファイルを制御する機能を利用する場合にクリックし、「BackStageビュー」と呼ばれる画面に切り替えます。

**9** リボンのタブ

リボンを切り替えます。

**10** グループ

リボンの機能を分類するグループで、グループ名に関連する機能がまとめられています。

**11**  ボタン

グループに関連する詳細設定画面を表示します。

**12** [共有] ボタン

クリックすると [共有] 作業ウィンドウが表示され、他のユーザーとの共有を設定できます。

**13** [コメント] ボタン

コメントの追加、移動をいつでも行えます。

**14** リボンの表示オプション

リボンの表示方法を切り替えます。

・タイトルバーの右端

**15** アカウント名

Microsoftアカウントの名前が表示されており、アカウントの設定も行えます。

**16** 最大化／最小化／閉じるボタン

ウィンドウサイズの調整やWordを終了するためのボタンです。

・ルーラー

**17** 1行目のインデントマーカー

段落1行目の開始位置を調節します。

**18** ぶら下げインデントマーカー

段落2行目以降の開始位置を調節します。

**19** 左インデントマーカー

段落全体の字下げ位置を調節します。

**20** 右インデントマーカー

段落全体の終了位置を調節します。

・ステータスバー右

**21** [フォーカス]

フォーカスモードに切り替えます。

**22** 閲覧モード／印刷レイアウト／Webレイアウト

文書の表示モードを切り替えます。

**23** ズームスライダ

スライダをドラッグして画面の拡大率を変更します。

SECTION  キーワード▶リボン  サンプル番号　01sec08

# 08 リボンの使い方を覚えよう

手順解説動画

Wordのほとんどの機能は、9種類のリボンに分類され、さらに関連する機能を集めたグループに配置されています。必要な機能の位置と、リボンの操作方法を覚えて、効率よく文書を作成しましょう。

## Wordの機能を利用する

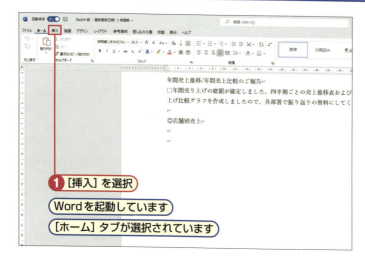

 **手順1　リボンのタブを切り替えます**

リボンの［挿入］タブをクリックし、［挿入］リボンに切り替えます。

 **メモ　リボンを利用する**

リボンには、［ホーム］、［挿入］、［デザイン］、［レイアウト］、［参考資料］、［差し込み文書］、［校閲］、［表示］、［ヘルプ］の9種類のタブが用意されており、タブ名に関係する機能がそれぞれのタブにまとめられています。Wordの機能を探す際には、タブ名をヒントに目的のタブに切り替えてみましょう。

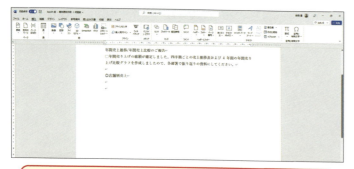

［挿入］タブに切り替わり、文書に写真などを挿入する機能が表示されます

 **メモ　グラフや写真専用の特殊タブを表示させる**

写真や図、グラフなどを挿入した場合、それらの編集機能がまとめられたタブが別に用意されています。それらのタブは、文書に挿入された写真や図、グラフなどをクリックすると通常のリボンの右に表示されます。写真やグラフなどを編集したい場合は、グラフや写真をクリックして特殊タブを表示させましょう。

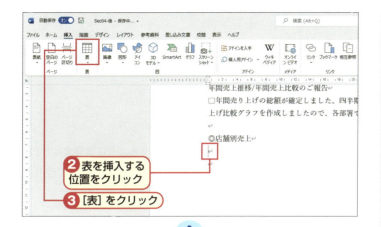

| 手順 2 | 表を挿入する位置を指定する |
|---|---|

表を挿入する位置をクリックしカーソルを表示して、[表] ボタンをクリックします。

| 手順 3 | 表を挿入する |
|---|---|

[挿入] リボンにある [表] をクリックし、表示されるメニューの [表の挿入] で、目的の行数と列数の交点にあるセルをクリックすると、必要な行列数の表が挿入されます。

Wordってどんなソフト？

---

###  [ファイル] タブは特別

リボンの左端にある [ファイル] タブは、他のタブと異なり、文書（Wordファイル）の保存や印刷、文書の共有など、ファイルやWordそのものを制御する機能がまとめられています。[ファイル] タブを選択すると、Backstage ビューと呼ばれる画面が表示され、左側の機能のカテゴリとなるタブが用意され、右側に選択したカテゴリの機能が表示されます。

ファイルの保存や印刷、書き出し、共有などファイルやWordそのものを制御する機能がまとめられています

SECTION

キーワード ▶ ウィンドウ操作

# 09 ウィンドウ操作を使いこなして作業効率を上げよう

手順解説動画

Windows 11では、複数のウィンドウを簡単な操作で並列表示できるようになりました。複数のWordの文書を編集したり、Webページを参考に文書を作成したりする場合に便利です。

## ウィンドウを切り替える

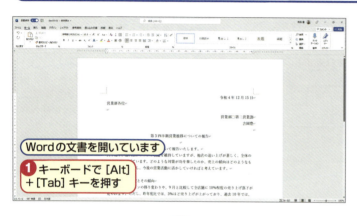

Wordの文書を開いています

❶ キーボードで [Alt] + [Tab] キーを押す

**手順1** 開かれているウィンドウの一覧を表示する

キーボードで [Alt] キーを押しながら [Tab] キーを押して、開かれているウィンドウの一覧を表示します。

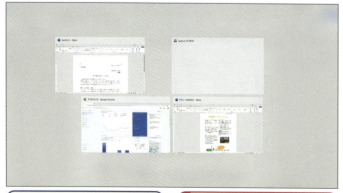

現在開かれているウィンドウの一覧が表示されます

❷ キーボードで [Alt] キーを押したまま [Tab] キーを押して目的のウィンドウを選択

**手順2** 表示するウィンドウを選択する

開かれているウィンドウ一覧を表示したら、キーボードで [Alt] キーを押したまま目的のウィンドウが選択されるまで [Tab] キーを押して目的のウィンドウを選択します。なお、[Alt] キーを押しながら、[Tab] キーを1回押すたびに右のウィンドウに移動します。

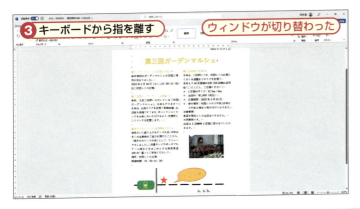

## ウィンドウを並べて表示する

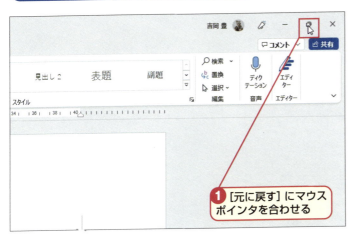

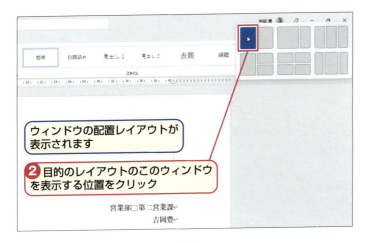

**手順1 ウィンドウのレイアウトを表示する**

マウスポインタをウィンドウ右上にある[元に戻す]ボタン(最大化されていない場合は[最大化]ボタン)に合わせて、ウィンドウのレイアウト一覧を表示します。

**手順2 ウィンドウを表示する位置を指定する**

ウィンドウのレイアウトの一覧で、目的のレイアウトでこのウィンドウを表示する位置をクリックします。

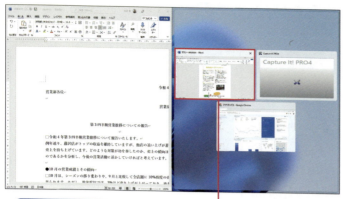

③ 並列表示するウィンドウをクリック

| 手順 3 | 並列表示するウィンドウを選択する |

現在開かれているウィンドウの一覧が表示されるので、並列表示させるウィンドウをクリックして指定します。

指定した位置に目的のウィンドウが表示されます

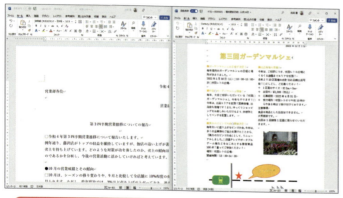

ウィンドウが並列表示された

 **ウィンドウの並列表示が簡単になった**

Windows 11では、複数のウィンドウが開かれている場合に、それらを簡単な操作で並列表示できるようになりました。ウィンドウを並列表示させるには、ウィンドウの右上にある［元に戻る］ボタン（または［最大化］ボタン）にマウスポインタを合わせ、表示されるレイアウト一覧でレイアウトと表示位置を指定します。ウィンドウを並列表示して、作業効率をアップさせてみましょう。

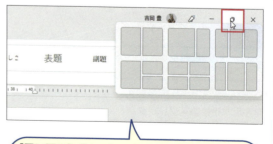

［元に戻る］ボタンにマウスポインタを合わせると表示されるポップアップで、レイアウトと表示位置を指定します。

SECTION

キーワード ▶ ヘルプ機能

# 10 ヘルプを使いこなして快適に作業しよう

手順解説動画

Word 2021には、ヘルプや問い合わせ、トレーニング機能などがまとめられた [ヘルプ] リボンが用意されています。使い方や適切な機能がわからないときには、[ヘルプ] で機能を検索したり、サポートに問い合わせてみたりして、問題を解決してみましょう。

## わからないことをヘルプで検索しよう

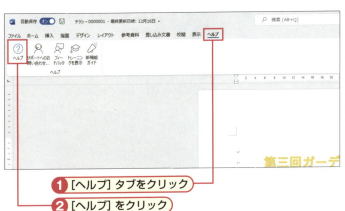

① [ヘルプ] タブをクリック
② [ヘルプ] をクリック

 **手順1** [ヘルプ] 作業ウィンドウを表示する

[ヘルプ] タブをクリックして [ヘルプ] リボンを表示し、[ヘルプ] をクリックして [ヘルプ] 作業ウィンドウを表示します。

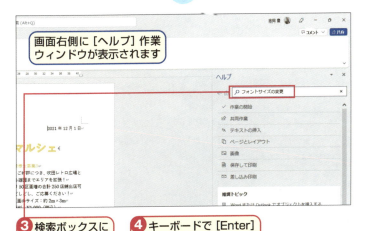

画面右側に [ヘルプ] 作業ウィンドウが表示されます

③ 検索ボックスにキーワードを入力
④ キーボードで [Enter] キーを押す

 **手順2** わからないことを検索する

検索ボックスにキーワードを入力し、キーボードで [Enter] キーを押して、検索を実行します。

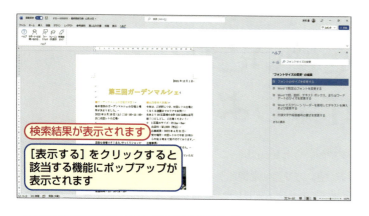

検索結果が表示されます

[表示する] をクリックすると該当する機能にポップアップが表示されます

## Wordの操作をトレーニングしてみよう

1 [ヘルプ] タブをクリック
2 [トレーニングを表示] をクリック
3 目的のトレーニングカテゴリをクリック

目的の項目をクリックしてトレーニングを開始します

### 手順1 トレーニングのカテゴリを選択する

[ヘルプ] リボンで [トレーニングを表示] をクリックし、表示されるトレーニングのカテゴリ一覧で目的のものを選択します。

### 手順2 トレーニングを開始する

目的のトレーニング項目をクリックすると、トレーニングが開始されます。

# 2章

## 文字の入力と編集を
## マスターしよう

Microsoft Word 2021では、テキストを入力さえできれば、見栄えの良い文書をかんたんに作成できます。まずは、ひらがな、カタカナ、漢字、アルファベットの入力をマスターしましょう。また、ショートカットキーを使った文字の変換や、読みのわからない漢字の入力など、入力のテクニックを知っておくと快適に作業を進められます。入力の基本と便利なテクニックを覚えて、効率よく文書を作成してみましょう。

SECTION キーワード▶文字の種類

# 11 文字の種類を切り替える

「日本語を入力したいのに、アルファベットが出てしまう」ということがあります。これは文字の種類がアルファベットに設定されているために起こります。この場合は、Microsoft IMEの文字の種類を切り替えてから入力します。

## 文字の種類を知っておこう

ひらがなやアルファベットなど、文書に入力する際の文字の種類は、Wordではなく、パソコンによって制御されています。そのため、文字の種類を切り替える場合は、Wordではなく、「Microsoft IME」という機能で行います。まずは、切り替えられる文字の種類を知っておきましょう。

ひらがな：あいうえお　山川谷海空星

全角カタカナ：アイウエオカキクケコ

半角カタカナ：ｱｲｳｴｵｶｷｸｹｺ

全角英数：ＡＢＣＤａｂｃｄ１２３

半角英数：ABCDabcd123

## 全角と半角の違いを知っておこう

「半角」は、アルファベットや数字など、全角の半分の幅の文字です。半角の文字は、入力すると変換することなく、そのまま入力が確定します。「全角」とは、ひらがな、漢字、全角カタカナなど、半角の約2倍の幅を持つ文字のことです。全角文字は、入力後、[スペース]キーを押して、漢字や記号などに変換できます。住所や電話番号など、半角と全角を切り替えて入力する場面は結構あります。半角と全角の意味を覚えておきましょう。

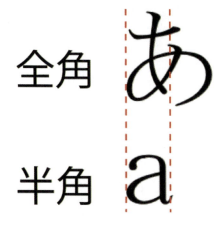

## 入力する文字の種類を切り替える

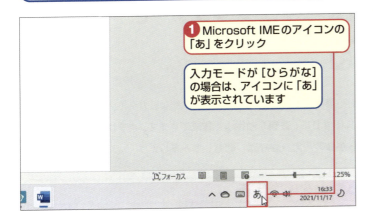

 **アルファベットに切り替える**

タスクバーにあるMicrosoft IMEのアイコンの「あ」をクリックして、半角アルファベット「A」に切り替えます。

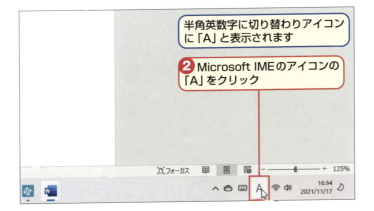

 **ひらがなに切り替える**

タスクバーにあるMicrosoft IMEのアイコンの「A」をクリックして、ひらがな「あ」に切り替えます。

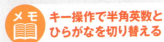 **キー操作で半角英数とひらがなを切り替える**

半角英数モードとひらがなモードは、キーボード左上にある[半角/全角]キーを押して切り替えることができます。また、半角英数モード時に、キーボード中央下にある[ひらがなカタカナ]キーを押すとひらがなモード切り替わり、[Shift]キーと[ひらがなカタカナ]キーを押すとカタカナモードに切り替えられます。

SECTION

キーワード▶ひらがな／カタカナ

# 12 ひらがな・カタカナを入力する

Wordでの文書作成で最も基本的な操作となるのが、ひらがなとカタカナの入力です。ひらがなの入力がスムースにできれば、書類を効率よく作成できます。まずは、キーボードの操作に慣れるために、ひらがなの入力を繰り返し練習してみましょう。

## ひらがなを入力する

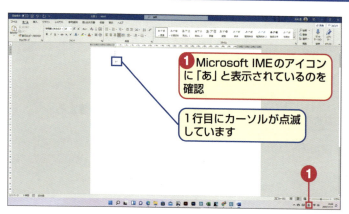

 **ひらがなが選択されているのを確認する**

タスクバーのMicrosoft IMEのアイコンに「あ」と表示されているのを確認します。

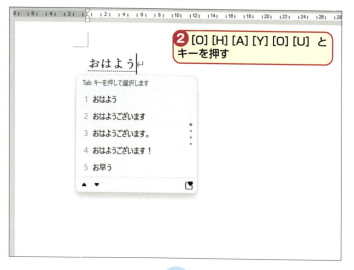

 **読みを入力する**

入力したい単語や文章の読みをローマ字に直したつづりをタイピングします。

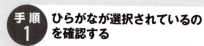 **ひらがなの入力**

ひらがなを入力するには、Microsoft IMEの入力モードに[ひらがな]を選択し、読みをローマ字に直したつづりをタイピングして、[Enter]キーを押します。なお、読みを入力した直後は、点線の下線が表示されます。これは、入力した文字が確定していないことを示しているので、入力を確定したい場合は[Enter]キーを押します。

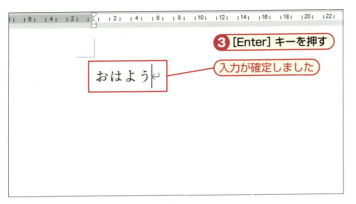

 **手順3 入力を確定する**

読みをローマ字のつづりで入力したら、キーボードの [Enter] キーを押して入力を確定します。

 **手順4 改行を挿入する**

改行を挿入する場合は、キーボードで [Enter] キーを押します。

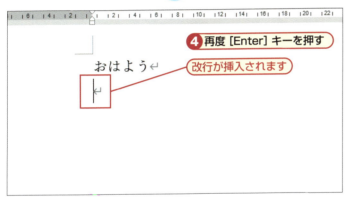

 **メモ 「ん」を入力する**

「ん」を入力するには、「ん」の部分に [N] キーを2回タイプします。例えば、「だんご」の場合、「DA」とタイプした後、「ん」の部分で「NN」とタイプし、次に「GO」とタイプします。

## 小さい「ゃ」や「ゅ」が付く読みを入力する

 **手順1 拗音を入力する**

拗音の前に表示する文字の子音の「S」を入力し、続けて拗音として表示する読み「YA」を入力して、キーボードで [Enter] キーを押します。

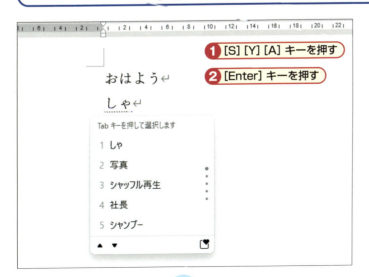

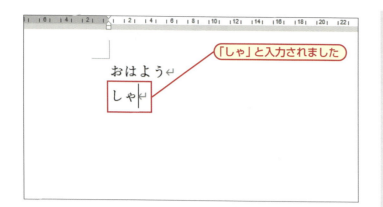

 **拗音を入力する**

「ゃ」、「ゅ」、「ょ」が小さな文字で表示される音のことを「拗音」といい、ほとんどの場合「しゃ」のように、他の音と組み合わせて表記されます。この場合、拗音の前の子音を拗音の前に付けて入力します。例えば、「しゃ」の場合や「ゃ(YA)」の前に「し」の子音である[S]をタイプして、「SYA」とします。

## 小さい「っ」が付く読みを入力する

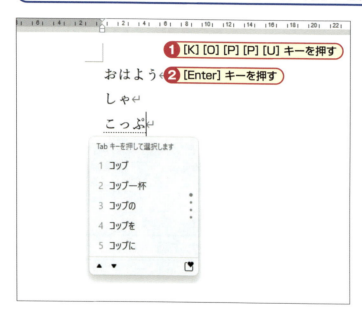

 **手順1 促音を入力する**

促音の前に表示する文字の読み「KO」を入力し、続けて表示する文字の子音「P」を2回連続で入力して、母音の「U」を入力して、キーボードで[Enter]キーを押します。

 **小さい「っ」を含んだ読みを入力する**

「こっぷ」の小さい「っ」のことを促音といいます。促音を入力するには、小さい「っ」の次の文字の子音のキーを2回続けてタイプします。例えば、「こっぷ」の場合、「KO」と入力した後、小さい「っ」の次の文字の頭文字となる[P]キーを2回タイプし、「PPU」とします。

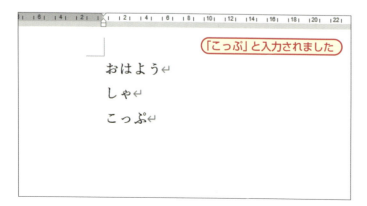

 **かな入力で入力したい**

「かな入力」は、キーボードに印字されたひらがなのキーを押して入力する方法です。かな入力には、1つのキーを押すだけでひらがな1文字を入力できることから、効率的に入力できるメリットがあります。かな入力に切り替えるには、Microsoft IMEのアイコンを右クリックし、メニューで、[かな入力(オフ)]をクリックし、[かな入力(オン)]に切り替えます。

## 読みを変換してカタカナを入力する

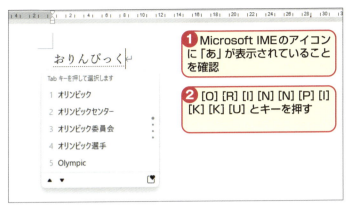

 読みを入力する

「オリンピック」の読みをローマ字に直したつづりを入力します。

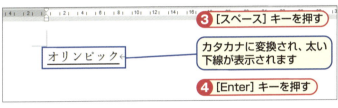

 カタカナに変換する

キーボードで [Space] キーを押して読みをカタカナに変換し、[Enter] キーを押して入力を確定します。

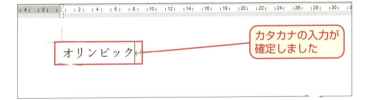

 半角のカタカナを入力するには

半角カタカナを入力するには、Microsoft IMEの入力モードに [ひらがな] を選択し、読みを入力して、キーボードで [F8] キーを押します。

###  [F7] キーでカタカナに変換する

地名や人名など、読みをタイプして、変換しても、変換候補にカタカナがない場合があります。この場合は、読みを入力し、変換を確定する前に、キーボードの [F7] キーを押すと、カタカナに変換されます。

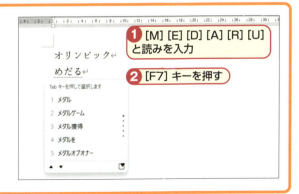

文字の入力と編集をマスターしよう

SECTION　キーワード▶漢字入力

# 13 漢字を入力しよう

手順解説動画

漢字を入力するには、ひらがなで読みをタイプして、[スペース] キーを押して変換します。同音異字の場合は、表示される変換候補の一覧から指定します。漢字の入力は、Wordの操作はもちろん、パソコンのあらゆる操作で必要になるので、繰り返し練習しましょう。

## 漢字を入力する

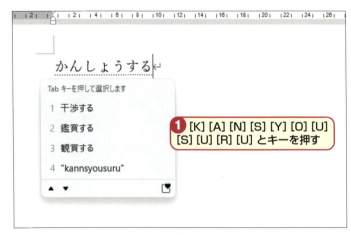

① [K] [A] [N] [S] [Y] [O] [U] [S] [U] [R] [U] とキーを押す

 **手順1 読みを入力する**

単語やセンテンスの読みをローマ字で入力します。

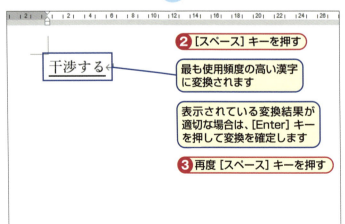

② [スペース] キーを押す

最も使用頻度の高い漢字に変換されます

表示されている変換結果が適切な場合は、[Enter] キーを押して変換を確定します

③ 再度 [スペース] キーを押す

 **手順2 漢字に変換する**

キーボードの [Space] キーを押して読みの変換を実行します。適切な漢字が表示されない場合は、再度 [Space] キーを押して、変換候補の一覧を表示します。

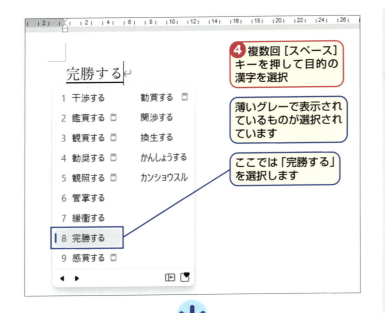

## 手順3 変換候補を選択する

複数の変換候補が表示されたら、目的の変換候補が選択されるまで[Space]キーを繰り返し押して、[Enter]キーを押して変換を確定します。

### メモ 変換確定後に漢字を再変換する

漢字は、変換確定した後からでも再度変換することができます。漢字を再変換するには、目的の単語を選択し、キーボードで[Space]キーまたは[変換]キーを押すと変換候補が表示されるので、[Space]キーを押して選択し[Enter]キーを押します。

### 裏技 単語の意味を確認して入力したい

「関心」と「感心」のような同音異字語の意味を確認して入力したいときは、読みを入力し、[Space]キーを押して変換候補の一覧を表示し、右側に標準統合辞書のアイコンが表示されている候補を選択すると、間違いやすい単語と意味が一覧で表示されます。なお、意味が表示されるのは、アイコンが表示されている単語に限られるため、それ以外の単語の意味は調べる必要があります。

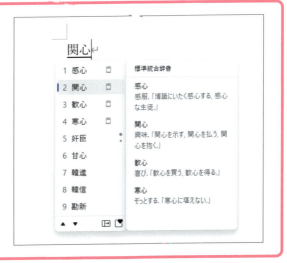

SECTION

キーワード ▶ 文節入力／文章単位入力

# 14 文節・文章単位の入力

書類を作成する際、単語ごとに変換していては作業効率が悪く、パソコンを使うメリットが半減します。Microsoft IMEは、文節や文章単位で変換することができます。文章単位で読みを入力し、文節単位で変換すると、文書作成の時間を短縮できます。

## 文章を変換する

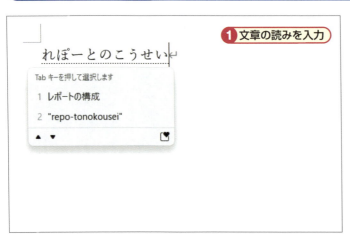
① 文章の読みを入力

 **手順1** 読みを入力する

センテンスの読みをローマ字で入力します。

**メモ** 文節を移動する

長い文章を変換した場合、一部の変換が間違っていることがあります。この場合は、[→]や[←]キーを押して、目的の文節まで移動し、[スペース]キーを押して、変換をやり直します。

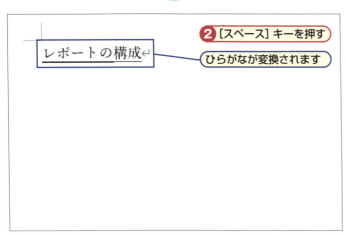
② [スペース]キーを押す
ひらがなが変換されます

 **手順2** 漢字に変換する

キーボードの[Space]キーを押すと、文節単位で文章全体が変換され、第一文節に太い下線が表示されます。

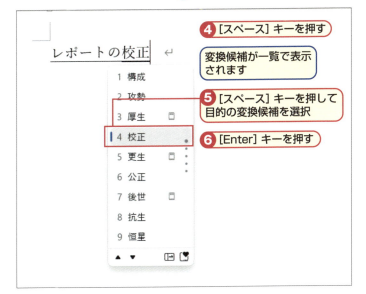

③ [→] キーを押して目的の文節へ移動

④ [スペース] キーを押す

変換候補が一覧で表示されます

⑤ [スペース] キーを押して目的の変換候補を選択

⑥ [Enter] キーを押す

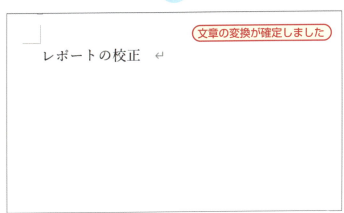

文章の変換が確定しました

 **手順 3　文節を移動する**

キーボードの [→] または [←] キーを押して、目的の文節に移動します。

 **手順 4　文節を再変換する**

[Space] キーを押すと変換候補の一覧が表示されるので、目的の候補が選択されるまで [Space] キーを押し、[Enter] キーを押して変換を確定します。

## 文節の区切りを修正して変換する

1 読みを入力
2 [Space] キーを押す

↓

意図したものとは異なった漢字に変換されています

3 [Shift] キーを押したまま [→] キーを押して文節を調節

↓

4 [スペース] キーを押す
漢字が変換され直されます
5 [Enter] キーを押す
入力が確定します

---

 **手順1 読みを入力して変換する**

センテンスの読みをローマ字で入力し、キーボードの [Space] キーを押して漢字に変換します。

**メモ 文節区切りを変更して変換する**

文章や単語によっては、読みの文節区切りが間違って変換されてしまうことがあります。この場合は、変換を確定する前に、キーボードの [Shift] キーを押しながら [→] キーや [←] キーを押して文節を調節し、[Space] キーを押して変換し直します。

 **手順2 文節の範囲を変更する**

[Shift] キーを押したまま [→] キーを押して文節の範囲を調節します。

 **手順3 文節を再変換する**

[Space] キーを押して、再度文節の読みを変換し、[Enter] キーを押して入力を確定します。

SECTION

キーワード ▶ アルファベット入力

# 15 アルファベットを入力しよう

手順解説動画

アルファベットの入力は、半角で入力したいのに全角で表示されたり、大文字小文字の切り替えが上手にできなかったりするなど、手間取る操作です。繰り返しアルファベットを入力して、半角への切り替えや [Shift] キー操作に慣れていきましょう。

2 文字の入力と編集をマスターしよう

## 半角の数字やアルファベットを入力する

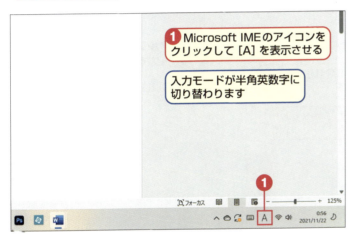

❶ Microsoft IMEのアイコンをクリックして [A] を表示させる

入力モードが半角英数字に切り替わります

 **手順1 半角英数字に切り替える**

タスクバーにあるMicrosoft IMEのアイコン「あ」をクリックして、半角英数字を表す [A] に切り替えます。

 **メモ キー操作で入力モードを切り替える**

キーボードの操作でひらがなと半角英数字の入力モードを切り替えるには、キーボード左上にある [半角/全角] キーを押します。

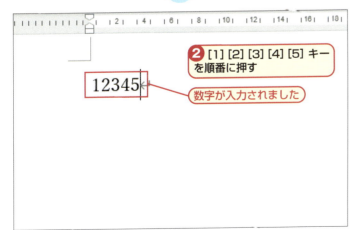

❷ [1] [2] [3] [4] [5] キーを順番に押す

数字が入力されました

 **手順2 数字を入力する**

[1] [2] [3] [4] [5] キーを順番に押して、数字を入力します。

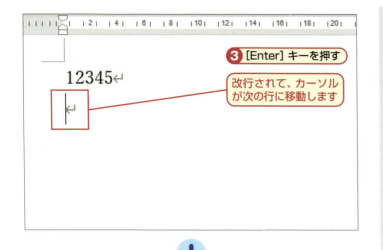

 **手順 3** 改行を挿入する

[Enter] キーを押しと、改行が挿入されます。

 **メモ** 連続してアルファベットの大文字を入力する

連続してアルファベットの大文字を入力したい場合は、[Shift] キーと [Caps Lock] キーを押して、大文字入力に切り替えてタイピングします。なお、大文字入力を解除するには、再度 [Shift] キーと [Caps Lock] キーを押します。

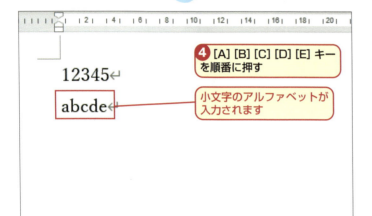

 **手順 4** アルファベットの小文字を入力する

[A] [B] [C] [D] [E] キーを順番に押して、アルファベットの小文字を入力します。

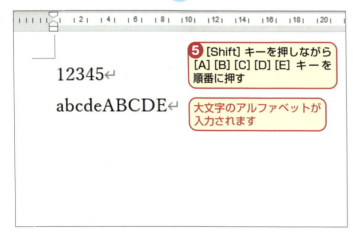

 **手順 5** アルファベットの大文字を入力する

[Shift] キーを押しながら [A] [B] [C] [D] [E] キーを順番に押すと、アルファベットの大文字の「ABCDE」が入力されます。

 **メモ** 全角のアルファベット・数字を入力する

全角のアルファベットや数字を入力するには、Microsoft IMEの入力モードに [ひらがな] を選択し、目的の数字やアルファベットのキーを押し、キーボードで [F9] キーを押します。

SECTION キーワード ▶ 記号・特殊文字入力

# 16 記号や特殊文字を挿入しよう

記号や特殊文字は、読み方が分からないなど、入力に手間取ります。この場合は、リボンの[挿入]タブにある[記号と特殊文字]を利用します。[記号と特殊文字]は、記号などの入力に特化した機能で、記号の検索と入力が簡単に行えます。

## 読みを変換して記号を入力する

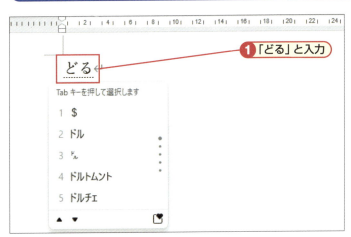

1 「どる」と入力

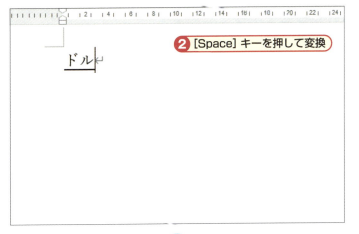

2 [Space]キーを押して変換

 **読みを入力する**

キーボードで[D][O][R][U]キーを押して「どる」と読みを入力します。

 **読みから記号を入力する**

「まる」という読みを変換して「●」を入力できるように、読みを変換して記号を入力することができます。読みを変換して入力できる主な記号は次の通りです。なお、記号によっては、使用しているパソコンの環境によって文字化けしてしまう「環境依存文字」があるため、注意が必要です。
「まる」：●、○、◎
「しかく」：■、◆、□
「さんかく」：▲、△、▽
「やじるし」：↓、→、←、↑、⇒、⇔
「おんぷ」：♪
「どる」：$
「えん」：\、¥
「ぽんど」：£
「かぶしきがいしゃ」：㈱、(株)、K.K.
「でんわ」：℡

 **読みを変換する**

キーボードで[Space]キーを押して読みを変換します。

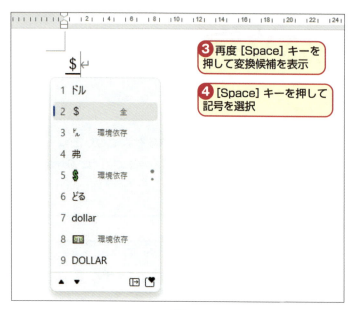

## 手順 3 　読みを記号に変換する

再度 [Space] キーを押して変換候補を表示し、[Space] キーを押して「$」を選択します。

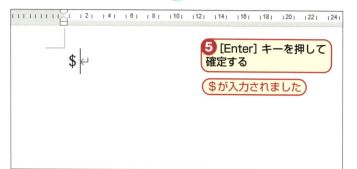

## 手順 4 　変換を確定する

キーボードで [Enter] キーを押して変換を確定します。

## カッコ文字を入力する

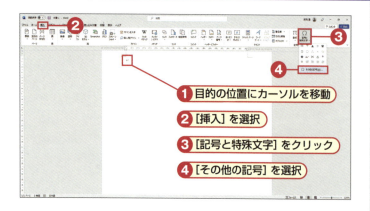

## 手順 1 　[記号と特殊文字] ダイアログボックスを表示する

目的の位置をクリックし、[挿入] タブを選択して、[記号と特殊文字] をクリックすると表示されるメニューで [その他の記号] を選択します。

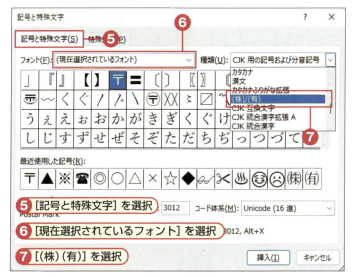

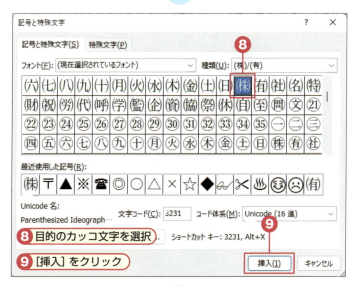

## 手順2 カッコ文字の一覧を表示する

[記号と特殊文字]タブを選択し、[フォント]で[現在選択されているフォント]を選択して、[種類]で[(株)/(有)]を選択します。

**記号や特殊文字を入力する**

通貨記号や囲み文字などの記号や特殊文字を入力したい場合は、[記号と特殊文字]ダイアログボックスを利用すると便利です。[記号と特殊文字]ダイアログボックスには、記号や特殊文字がカテゴリで分類されていて、簡単に目的の記号を探し出せます。

## 手順3 「(株)」を入力する

目的のカッコ文字を選択し、[挿入]をクリックすると記号が入力されます。

SECTION

キーワード ▶ 読み不明漢字入力

# 17 読みのわからない漢字を入力しよう

読みの分からない漢字は、IMEパッドという機能を利用しマウスを使って手書きして、その形から検索できます。漢字を正確に覚えていなくても、書き込めば似たような漢字が候補として表示されます。読みがわからない漢字は、気軽に検索してみましょう。

## 手書きの文字から漢字を検索して入力する

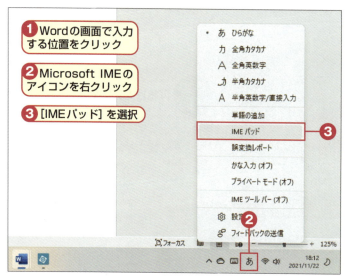

❶ Wordの画面で入力する位置をクリック
❷ Microsoft IMEのアイコンを右クリック
❸ [IMEパッド]を選択

 **手順1 IMEパッドを表示する**

Wordの画面で入力する位置をクリックしてカーソルを表示します。次にタスクバーにあるMicrosoft IMEのアイコンを右クリックし、表示されるメニューで[IMEパッド]を選択してIMEパッドを表示します。

 **メモ 画数や部首でも検索できる**

IMEパッドでは、漢字の画数や部首から漢字を検索することができます。漢字の画数で検索したい場合は、IMEパッドの左にある[総画数]ボタン画(02-13-005)をクリックして、表示される画面で漢字の画数を指定して絞り込みます。また、部首で検索したい場合は、[部首]ボタン部(02-13-006)をクリックして、表示される画面で部首を指定し、漢字を絞り込みます。

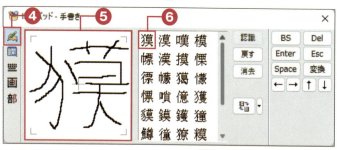

❹ [手書き]を選択
❺ マウスで漢字を書く
画数が増えるごとに表示される漢字が絞り込まれます
❻ 目的の漢字をクリック
目的の漢字が入力されます

 **手順2 手書きして漢字を入力する**

IMEパッドで[手書き]のアイコンをクリックして手書き画面を表示し、マウスを動かして漢字を手書きします。右に表示される一覧に該当する漢字が表示されるので、目的の漢字をクリックすると、その漢字が入力されます。

SECTION　キーワード▶単語登録

# 18 単語を登録して入力を効率化する

旧字体や珍しい固有名詞などは、読みを入力してもなかなか変換候補にリストアップされません。読みを入力しても変換候補に表示されない単語は、ユーザー辞書に追加しておくとよいでしょう。また、住所など長い定型文なども、単語として登録しておくと便利です。

## 「めーる」と入力するとメールアドレスを入力できるようにする

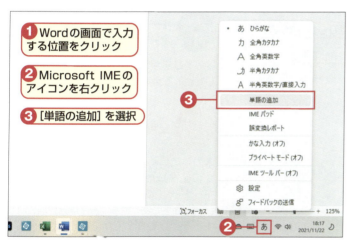

① Wordの画面で入力する位置をクリック
② Microsoft IMEのアイコンを右クリック
③ [単語の追加]を選択

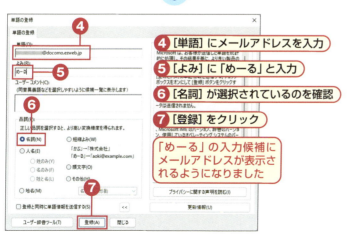

④ [単語]にメールアドレスを入力
⑤ [よみ]に「めーる」と入力
⑥ [名詞]が選択されているのを確認
⑦ [登録]をクリック

「めーる」の入力候補にメールアドレスが表示されるようになりました

### 手順1  [単語の登録]ダイアログボックスを表示する

Wordの画面で入力する位置をクリックしてカーソルを表示します。次にタスクバーにあるMicrosoft IMEのアイコンを右クリックし、表示されるメニューで[単語の追加]を選択して[単語の登録]ダイアログボックスを表示します。

### メモ  メールや住所は単語登録しておこう

住所やメールアドレスなどの入力には、意外と時間がとられる上、ミスするリスクがあります。住所やメールアドレスなど決まったセンテンスは、単語として登録しておくと、指定した読みから簡単に入力できるようになります。

### 手順2  単語を登録する

[単語登録]画面が表示されるので、[単語]にメールアドレス、[よみ]に「めーる」を入力し、[品詞]で[名詞]が選択されているのを確認して[登録]をクリックします。画面を閉じる場合は[閉じる]をクリックします。

文字の入力と編集をマスターしよう

SECTION　キーワード▶ファンクションキー

# 19 ファンクションキーを使って効率よく変換する

ひらがな、カタカナ、アルファベットは、キーを1つ押すだけで簡単に変換できます。入力が確定した後からでも、変換可能です。ファンクションキーを使った文字の種類の変換を覚えておけば、文字の種類を間違えても打ち直す手間を省くことができます。

## ひらがなをカタカナに変換する

1 読みをひらがなで入力
2 [F7] キーを押す

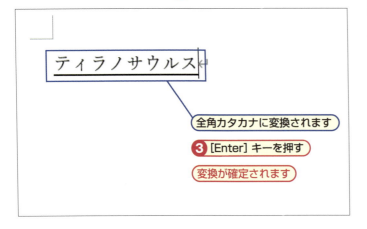

全角カタカナに変換されます
3 [Enter] キーを押す
変換が確定されます

**手順1　キーで読みを全角カタカナに変換する**

読みをひらがなで入力し、[F7] キーを押して読みを全角のカタカナに変換します。

**メモ　全角のカタカナに変換する**

入力したテキストを一括で全角のカタカナに変換したいときは、読みを入力し、キーボードで [F7] キーを押します。また、変換確定後のテキストを選択し、[F7] キーを押しても全角カタカナに変換できます。

**手順2　変換を確定する**

カタカナに変換したら、[Enter] キーを押して確定します。

# ひらがなを半角カタカナに変換する

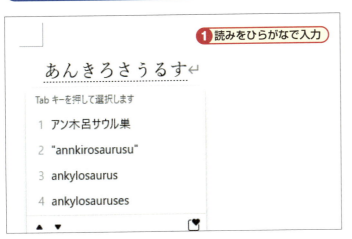
❶ 読みをひらがなで入力

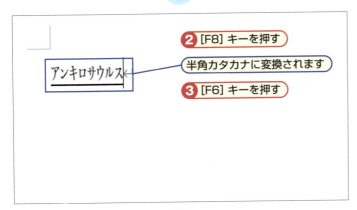
❷ [F8] キーを押す
半角カタカナに変換されます
❸ [F6] キーを押す

ひらがなに変換されます

**読みを入力する**

ひらがなで読み「あんきろさうるす」と入力します。

**半角カタカナに変換する**

入力したテキストを一括で半角のカタカナに変換したいときは、読みを入力し、キーボードで [F8] キーを押します。また、変換確定後のテキストを選択し、[F8] キーを押しても半角カタカナに変換できます。

**半角カタカナに変換する**

キーボードで [F8] キーを押して半角カタカナに変換します

**ひらがなに変換する**

キーボードで [F6] キーを押してひらがなに変換します

**ひらがなに変換する**

入力したテキストを一括でひらがなに変換したいときは、読みを入力し、キーボードで [F6] キーを押します。また、変換確定後のテキストを選択し、[F6] キーを押してもひらがなに変換できます。

# ひらがなをアルファベットに変換する

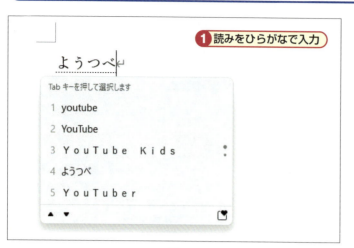

 **手順1 読みを入力する**

ひらがなで読み「ようつべ」と入力します。

 **メモ 大文字／小文字に変換する**

読みを入力し、[F10] キーを1度押すと、すべての文字が半角アルファベットの小文字に変換されます。また、[F10] キーを2度押すと、すべての文字が大文字で表示されます。[F10] キーを3度押すと、先頭の文字だけが大文字、残りは小文字で表示されます。

 **手順2 アルファベットの小文字に変換する**

キーボードで [F10] キーを押してアルファベットの小文字に変換します。

 **手順3 大文字に変換する**

キーボードで [F10] キーを押してすべての文字を大文字に変換します。

 **手順4 頭文字だけ大文字にする**

キーボードで [F10] キーを押して先頭は大文字、残りは小文字に切り替わります。

 **メモ 全角アルファベットに変換する**

入力したテキストを一括で全角のアルファベットに変換したいときは、読みを入力し、キーボードで [F9] キーを押します。また、変換確定後のテキストを選択し、[F9] キーを押しても全角アルファベットに変換できます。

# 3章

## 自由自在に文書を作成しよう

書類は、ビジネス文書やレポート、論文、小説など、種類や目的によって、用紙のサイズや文字の方向、余白の設定が異なります。余白や文字数の設定が少し違うだけで、レイアウトや1ページに収まる内容が大きく違ってきます。企業によっては、書類の仕様が細かに設定されている場合があります。書類のページ仕様を事前に確認して、用紙のサイズや向き、余白、文字数、行数などを正確に設定しましょう。

SECTION　キーワード▶文書作成

# 20 新しい文書を作成しよう

手順解説動画

新規文書は、Wordを起動し直さなくても、[ファイル] タブを選択すると表示される [BackStageビュー] の画面からいつでも作成できます。なお、新規作成された文書は、別のウィンドウで表示されます。

## 新しい文書を作成する

### 手順1　[BackStageビュー] を表示する

[ファイル] タブをクリックして、[BackStageビュー] の [ホーム] 画面を表示します。

### 手順2　白紙の新規文書を作成する

[BackStageビュー] の [ホーム] 画面が表示されるので、[ホーム] にある [白紙の文書] をクリックすると、白紙の新規文書が作成されます。

### メモ　キーボード操作で白紙の新規文書を作成する

キーボード操作で白紙の新規文書を作成するには、Wordが起動されている状態で、キーボードの [Ctrl] + [N] キーを押します。

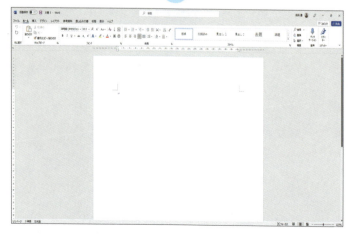

SECTION キーワード▶用紙設定

# 21 用紙のサイズを設定しよう

3 自由自在に文書を作成しよう

用紙のサイズは、単純に印刷時の用紙のサイズというだけでなく、レイアウトのベースとなるため、文字のサイズや改ページ、写真の配置などに大きな影響があります。文書を作成する場合には、まず用紙のサイズを確認し、適切なサイズを指定しましょう。

## 用紙のサイズを設定する

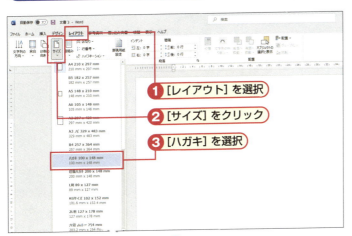

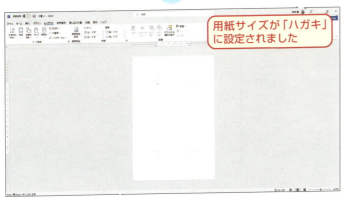

 **手順1 用紙のサイズを選択する**

[レイアウト] タブを選択し、[サイズ] をクリックして目的のサイズ（ここでは [ハガキ]）を選択します。

 **メモ [レイアウト] タブを利用する**

[レイアウト] タブには、文書の用紙サイズや印刷の方向、余白、段組みなど、文書そのものの設定を制御する機能がまとめられています。Word文書を新規作成したら、まず [レイアウト] タブの機能を利用して、文書の基本となる設定を行いましょう。

SECTION　キーワード ▶ 用紙の向き

# 22 用紙の向きを設定しよう

手順解説動画

用紙の向きは、用紙のサイズと同様に書類のレイアウトのベースとなるため、デザインや書式を大きく左右します。書類の作成を始める前に、その目的や使用方法を確認して、適切な向きを設定しましょう。

## 印刷の向きを設定する

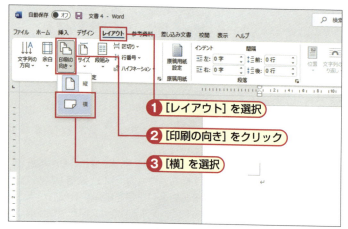

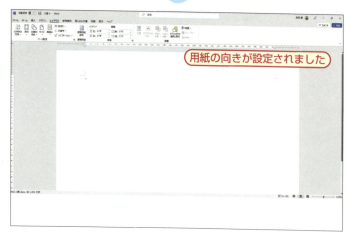

 **手順1　印刷の向きを指定する**

[レイアウト] タブを選択し、[印刷の向き]をクリックして目的の方向（ここでは[横]）を選択します。

 **メモ　印刷の向きって？**

[レイアウト] タブの [印刷の向き] ボタンでは、用紙の向きを指定します。用紙を縦向き（短辺を上にした向き）で印刷したい場合は、[印刷の向き] ボタンのメニューで [縦]、用紙を横向き（長辺を上にした向き）で印刷したい場合は [横] を選択します。

SECTION

キーワード ▶ 縦書き／横書き

# 23 縦書き/横書きを設定しよう

ビジネス文書やレポートなどの多くは横書きですが、小説やエッセイといった読み物は縦書きでの作成が慣例となっています。また、レポートの中で小説を引用する場合、その部分だけ縦書きにする場合もあります。縦書きの設定は、知っておくと便利です。

## 縦書きを設定する

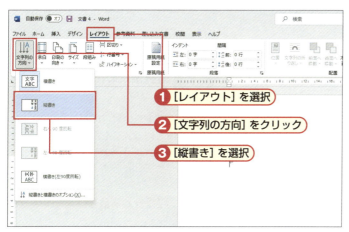

 **手順1** 文字列の縦書きを設定する

［レイアウト］タブを選択し、［文字列の方向］をクリックして、［縦書き］を選択すると、文書に縦書きが設定されます。

 **メモ** 縦書きに設定すると用紙の向きも横になる

この手順に従って文書に縦書きを設定すると、用紙の方向が［横］に切り替わります。縦書きのまま用紙の方向を縦に戻したい場合は、縦書きを設定した後、Section 22の手順で用紙の方向を［縦］に設定します。

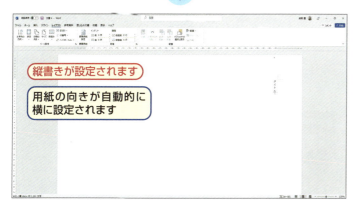

79

## 特定の部分を縦書きにする

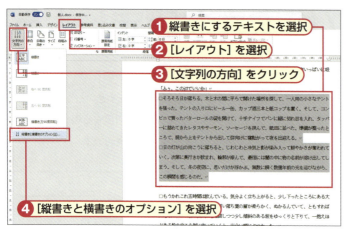

① 縦書きにするテキストを選択
② [レイアウト] を選択
③ [文字列の方向] をクリック
④ [縦書きと横書きのオプション] を選択

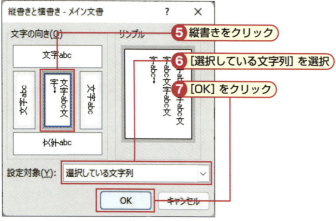

⑤ 縦書きをクリック
⑥ [選択している文字列] を選択
⑦ [OK] をクリック

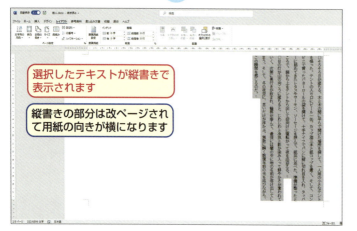

選択したテキストが縦書きで表示されます

縦書きの部分は改ページされて用紙の向きが横になります

---

**手順1** [縦書きと横書き] ダイアログボックスを表示する

縦書きに設定するテキストを選択し、[レイアウト] タブを選択して、[文字列の方向] をクリックし、[縦書きと横書きのオプション] を選択して [縦書きと横書き] ダイアログボックスを表示します。

**手順2** 選択個所の縦書きを設定する

[文字の向き] で縦書きのボタンをクリックし、[設定対象] で [選択している文字列] を選択して、[OK] ボタンをクリックします。

**メモ** 縦書きと横書きは混在できない

この手順に従って横書きの文書を部分的に縦書きにすると、縦書きの部分が改ページされ、用紙の向きが横になります。縦書きのテキストは、同じページ内で横書きのテキストと混在させることはできません。同じページ内で横書きと縦書きのテキストを表示したいときは、テキストボックスを利用します。

SECTION

キーワード ▶ 余白設定

# 24 文書の余白を設定しよう

余白は、大きすぎると間が抜けた印象になるなど、書類の第一印象と読みやすさを左右します。書類の目的や使用方法に合わせて、適切な余白を設定しましょう。また、フチなし印刷する場合には、4方向の余白を「0mm」に設定する必要があります。

## 余白を設定する

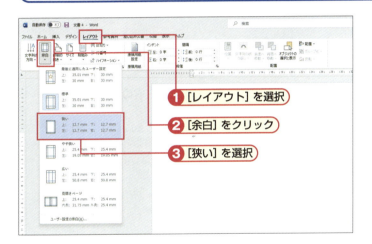

 余白を設定する

[レイアウト] タブを選択し、[余白] をクリックして、メニューに表示されている余白の設定から適切なものを選択します。

## 余白を数値で設定する

**手順1** [ページ設定] ダイアログボックスを表示する

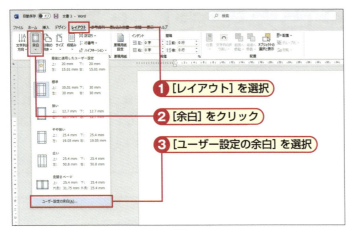

① [レイアウト] を選択
② [余白] をクリック
③ [ユーザー設定の余白] を選択

[レイアウト] タブを選択し、[余白] をクリックして、[ユーザー設定の余白] を選択して [ページ設定] ダイアログボックスの [余白] パネルを表示します。

**手順2** 上下左右の余白を設定する

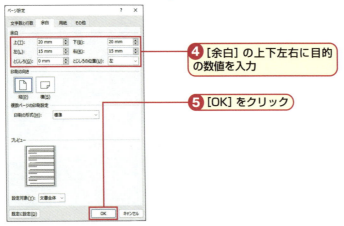

④ [余白] の上下左右に目的の数値を入力
⑤ [OK] をクリック

[余白] にある [上]、[下]、[左]、[右] のそれぞれに目的の余白の数値を入力し、[OK] をクリックします。

**メモ** フチなし印刷をするには?

指定した余白が設定されました

　ハガキの裏面などをフチなし印刷する場合、プリンターの設定で [フチなし] を有効にしても、余白が表示されることがあります。その場合は、Wordの設定で、上下左右の余白をすべて「0mm」に設定する必要があります。左の手順で [ページ設定] ダイアログボックスを表示し、[余白] タブを選択すると表示される画面で、上下左右の余白の数値に「0」を設定し、[OK] をクリックして、表示される警告画面で [無視] をクリックします。

SECTION

キーワード ▶ 行数設定／文字数設定

# 25 1ページの行数と1行の文字数を設定しよう

論文や公式文書、ビジネス文書などでは、1行の文字数や1ページの行数が決まっていることがあります。そんなときにあわてずに済むよう、1行の文字数と1ページの行数の設定方法を覚えておきましょう。

## 1行の文字数と行数を設定する

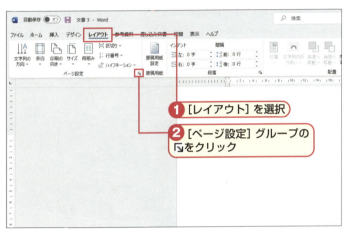

1 [レイアウト] を選択
2 [ページ設定] グループの 🔽 をクリック

**手順1** [ページ設定] ダイアログボックスを表示する

[レイアウト] タブを選択し、[ページ設定] グループの右下にあるアイコン 🔽 をクリックして [ページ設定] ダイアログボックスを表示します。

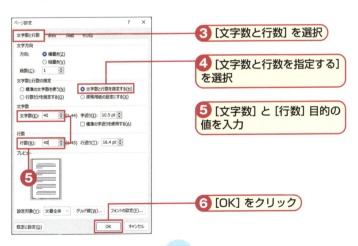

3 [文字数と行数] を選択
4 [文字数と行数を指定する] を選択
5 [文字数] と [行数] 目的の値を入力
6 [OK] をクリック

**手順2** 1行の文字数を1ページの行数を設定する

[文字数と行数] パネルを表示し、[文字数と行数を指定する] を選択して、[文字数] と [行数] に目的の数値を入力し [OK] をクリックします。

**必要以上に行間が開いたときには**

　Word 2021の標準フォント「游明朝」や「メイリオ」で作成された文書で、1ページの行数を38行以上に設定すると必要以上に行間が開き、指定した行数になりません。この場合は、フォントの種類を「MS 明朝」に変更するか、次の操作で標準スタイルの行間を固定値で指定します。なお、固定値で指定する行間は、フォントのポイント数に5を足した数値を指定するとよいでしょう。

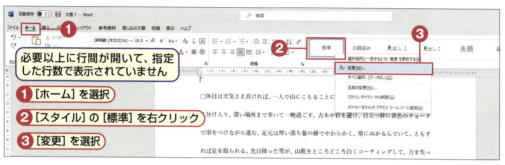

必要以上に行間が開いて、指定した行数で表示されていません

① [ホーム] を選択
② [スタイル] の [標準] を右クリック
③ [変更] を選択

④ [書式] をクリック
⑤ [段落] を選択

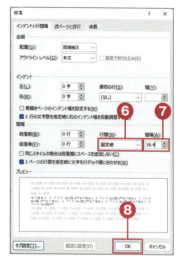

⑥ [固定値] を選択

⑦ [間隔] にフォント数に5を足した数値を入力

⑧ [OK] をクリック

⑨ [スタイルの変更] ダイアログボックスに戻るので [OK] をクリック

文書が適切な行数で表示されます

SECTION

キーワード ▶ テンプレート／ビジネス文書

# 26 テンプレートを使ってビジネス文書を作成しよう

Wordには、さまざまなカテゴリのテンプレートが数多く用意されています。テンプレートを利用して文書を作成すると、見栄えの良い書類を簡単に作成できます。業務内容にあったテンプレートを探して、効率よく書類を作成してみましょう。

3 自由自在に文書を作成しよう

## テンプレートを利用して文書を作成する

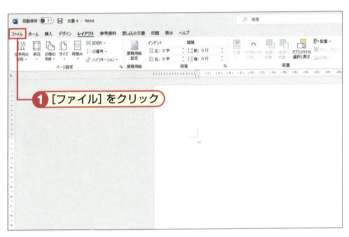

 **Backstageビューを表示する**

[ファイル] タブを選択してBackstageビューを表示します。

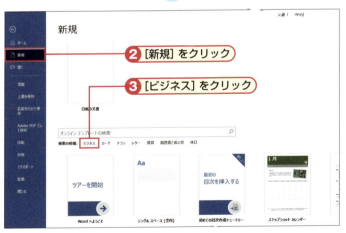

 **テンプレートのカテゴリを選択する**

左のメニューで [新規] を選択し、[検索候補] にある [ビジネス] をクリックして、テンプレートを絞り込みます。

 **いろんなカテゴリのテンプレートがある**

文書のテンプレートは、ビジネス関連のものばかりではなく、「結婚報告」や「卒業パーティのチラシ」などバラエティに富んでいます。テンプレートは、Backstageビューの [新規] 画面にある [オンラインテンプレートの検索] ボックスからキーワード検索できます。思いついたキーワードでテンプレートを探してみましょう。

85

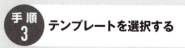 テンプレートを選択する

目的のテンプレートをクリックします。

 テンプレートで文書を作成する

サムネイルでデザインを確認して［作成］をクリックします。

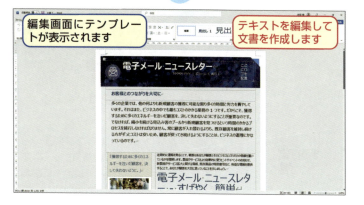

 文書を作成する

Wordの編集画面にテンプレートが表示されるので、テキストや画像を編集し文書を作成します。

SECTION　キーワード ▶ 文書保存　　　　　　　　サンプル番号　03sec27

# 27 文書を保存しよう

Word 2021では、OneDriveまたはSharePoint Onlineにファイルを自動保存できるようになりました。ファイルの保存忘れを防げる上、どこからでもファイルを利用できます。新しくなった保存方法を確認して、快適に作業を進めましょう。

## 文書に名前を付けて保存する

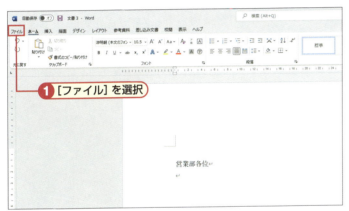

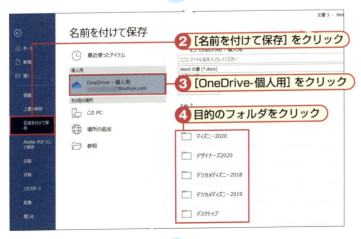

### 手順1　Backstageビューを表示する

[ファイル] タブを選択し、Backstageビューを表示します。

**メモ　自動保存機能を利用できるようになった**

Word 2021では、OneDriveやSharePoint Onlineに保存された文書で、自動保存機能が利用できるようになりました。OneDriveやSharePoint Onlineに保存された文書に変更を加えると、その都度その変更が自動的に上書き保存されます。

### 手順2　[名前を付けて保存] ダイアログボックスを表示する

左のメニューで [名前を付けて保存] をクリックし、表示される画面で [参照] をクリックして、[名前を付けて保存] ダイアログボックスを表示します。

3　自由自在に文書を作成しよう

87

 **手順3 文書を保存する**

保存先のフォルダを選択し、文書の名前を入力して、[保存] ボタンをクリックすると、文書ファイルが指定した場所に保存されます。

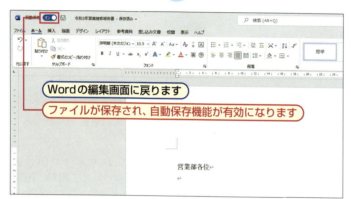

 **メモ 文書を上書き保存する**

OneDriveへのバックアップ設定の対象となっていないフォルダに文書を保存すると、自動保存機能は利用できません。その場合、文書への変更を上書き保存する必要があります。文書を上書き保存するには、クイックアクセスツールバーにある [上書き保存] ボタン🖫をクリックするか、キーボードで、[Ctrl] + [S] キーを押します。

 **メモ ドキュメント・デスクトップ・ピクチャは自動バックアップの対象**

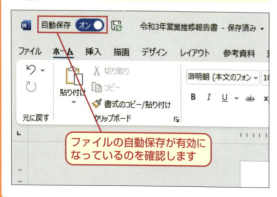

　パソコンにWindows 11をインストールする際に、[デスクトップ] と [ドキュメント]、[ピクチャ] を自動バックアップの対象フォルダに設定すると、それらのフォルダに保存された文書は自動的にOneDriveやShare Point Onlineにバックアップされます。そのため、ドキュメントやデスクトップに保存された文書ファイルでも自動保存機能が利用できます。

# 文書をPDFファイルとして保存する

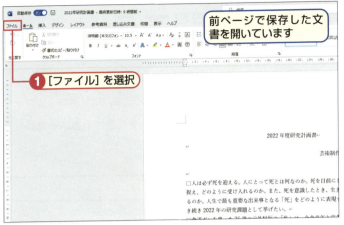

### 手順1 Backstageビューを開く

［ファイル］タブを選択し、Backstageビューを表示します。

### 手順2 ［Adobe PDFとして保存］をクリックする

左側のメニューで［Adobe PDFとして保存］をクリックします。

**メモ　Wordの文書をPDFファイルとして保存する**

「PDF」は、「Portable Document Format」の略で、印刷したときの状態をそのまま保存できる電子文書のファイル形式です。パソコンやスマートフォンの機種やOSを問わず、どんな環境で開いても同じように表示できる上、編集されにくいという特徴から、信頼性の高いファイル形式として広く利用されています。

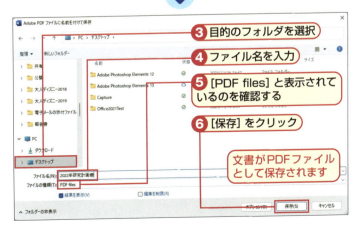

### 手順3 保存先とファイル名を決めて保存する

［Adobe PDFファイルに名前を付けて保存］ダイアログボックスが表示されるので、保存先のフォルダを選択し、ファイル名を入力して［保存］ボタンをクリックすると、文書がPDFファイルとして保存されます。

SECTION

キーワード ▶ 文書ファイル

サンプル番号 03sec28

# 28 文書ファイルを開こう

手順解説動画

毎日の業務の中で、意外と手こずるのが、ファイルを探して開く作業です。効率よくファイルを利用するためにも、普段からファイルを整理し、ファイルを検索する方法を確認しておきましょう。

## パソコンに保存されている文書を開く

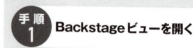
**手順1** Backstageビューを開く

[ファイル]タブを選択して、Backstageビューを表示します。

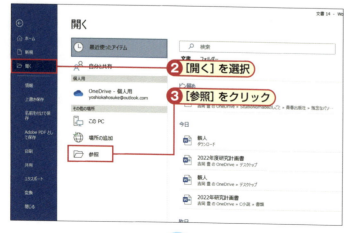

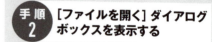
**手順2** [ファイルを開く]ダイアログボックスを表示する

左のメニューで[開く]を選択し、表示される画面で[参照]をクリックして、[ファイルを開く]ダイアログボックスを表示します。

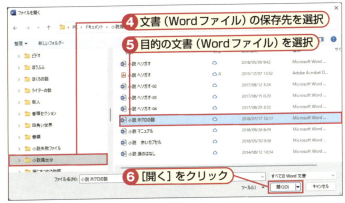

 **手順3** ファイルを開く

ファイルの保存先を選択し、目的のファイルを選択して、[開く]ボタンをクリックすると、ファイルを開くことができます。

 **パソコンに保存されている文書を開く**

文書（Wordファイル）は、目的の文書のアイコン□をダブルクリックして開くことができます。利用頻度の高いファイルは、すぐに開けるようにわかりやすい場所に保存しておきましょう。

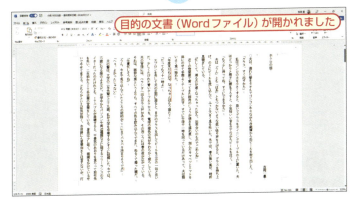

目的の文書（Wordファイル）が開かれました

---

 **頻繁に使うファイルはピン留めしておこう**

文書をBackstageビューの[ホーム]画面や[開く]画面に文書をピン留めしておくと、[ピン留め]の一覧に常に表示され文書を見つけやすくなります。文書をピン留めするには、Backstageビューの[開く]画面または[ホーム]画面を表示し、右の文書一覧で目的の文書にマウスポインタを合わせると、日付の左にピン留めのアイコン📌が表示されるのでクリックします。

Backstageビューの[開く]画面で目的の文書にマウスポインタを合わせて、ピン留めのアイコンをクリックします。

目的の文書がピン留めされ常に画面の上部に表示されるようになります。

SECTION　キーワード▶文書印刷　　　　　　　　　　　　　　　　　サンプル番号　03sec29

# 29 文書を印刷してみよう

文書が完成したら、印刷プレビューで確認し、文書を印刷しましょう。文書を印刷するには、プリンターの準備や用紙のサイズ、印刷の向きなどを設定します。また、プリンターの操作について、プリンターのマニュアルを確認しておきましょう。

## Backstageビューの［印刷］画面を確認しよう

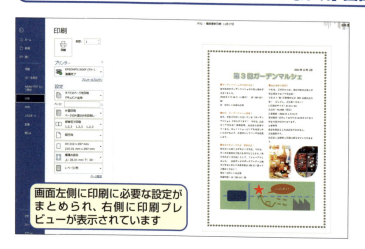

**メモ　Backstageビューの［印刷］画面**

文書を印刷するには、［ファイル］タブを選択してBackstageビューを表示し、左のメニューで［印刷］を選択すると表示される［印刷］画面を利用します。［印刷］画面には、印刷部数やプリンター、用紙のサイズ、余白など、印刷するために必要な設定と、印刷結果を事前に確認できる印刷プレビューが備えられています。

画面左側に印刷に必要な設定がまとめられ、右側に印刷プレビューが表示されています

## ［印刷］画面の機能

❶［印刷］ボタン
印刷を実行します

❷［部数］
印刷する部数を指定します

❸［プリンター］
印刷に利用するプリンターを選択します

❹［プリンターのプロパティ］
プリンターに付属する［プリンターのプロパティ］ダイアログボックスを表示します

❺［すべてのページを印刷］
印刷するページを指定します

❻［片側印刷］
片側印刷または両面印刷を指定します

❼［部単位で印刷］
複数の部数を印刷する際、部単位またはページ単位で印刷するかを指定します

❽［縦方向］
印刷の向きを指定します

❾［A4］
用紙サイズを指定します

❿［標準の余白］
余白を指定します

⓫［1ページ/枚］
1枚の用紙に印刷するページ数を指定します

⓬［ページ設定］
［ページ設定］ダイアログボックスを表示します

## 印刷結果を印刷前に確認する

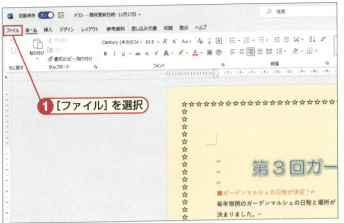

 **手順1** Backstageビューを表示する

[ファイル] タブを選択し、Backstageビューを表示します。

 **メモ** 印刷結果を確認する

BackStageビューの [印刷] 画面には、印刷する前に印刷結果を確認できる「印刷プレビュー」が用意されています。印刷プレビューは、印刷結果をそのまま表示できるので、間違えや設定ミスを前もって確認できます。

 **手順2** [印刷] 画面を表示する

左のメニューで [印刷] を選択すると、画面の右側に印刷プレビューが表示されます

## 印刷プレビューを拡大する

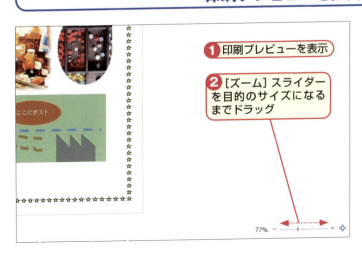

 **手順5** 印刷プレビューを拡大表示する

印刷プレビューを表示し、右下にある [ズーム] スライダーを目的のサイズになるまでドラッグします。

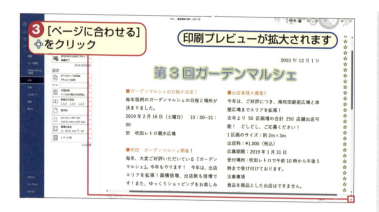

③ [ページに合わせる]  をクリック

印刷プレビューが拡大されます

## 手順2 全体表示に戻す

[ズーム] スライダーの右にある [ページに合わせる]  をクリックすると、文書のページ全体が表示されます。

ページ全体が表示されます

### メモ 次のページを確認する

印刷プレビューで次のページを確認したい場合は、印刷プレビューの画面左下にある [次のページ] ボタンをクリックします。また、前のページに戻りたい場合は、[前のページ] ボタンをクリックし、特定のページを表示させたい場合はテキストボックスに該当するページ番号を入力します。

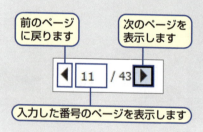

前のページに戻ります / 次のページを表示します / 入力した番号のページを表示します

### メモ 背景色を印刷するには

Wordの初期設定では、文書の背景に配置された画像や背景色は印刷されません。文書の背景色や背景の画像を印刷する場合は、リボンで [ファイル] タブを選択し、左側の項目で [オプション] をクリックして [Wordのオプション] ダイアログボックスを表示し、[表示] を選択すると表示される画面で、[背景の色とイメージを印刷する] をオンにします。

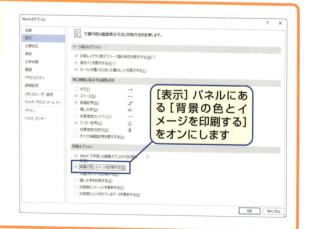

[表示] パネルにある [背景の色とイメージを印刷する] をオンにします

# 文書を印刷する

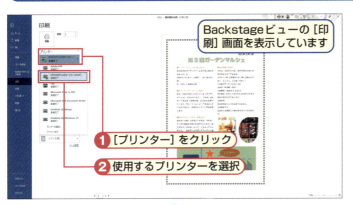

Backstageビューの[印刷]画面を表示しています
① [プリンター]をクリック
② 使用するプリンターを選択

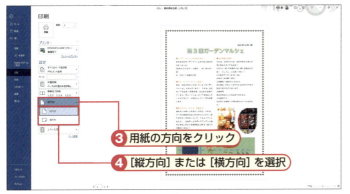

③ 用紙の方向をクリック
④ [縦方向]または[横方向]を選択

⑤ 紙のサイズを選択

印刷の設定が完了しました

 **手順1 プリンターを選択する**

Backstageビューで[印刷]を選択し、[プリンター]をクリックすると表示される一覧から目的のプリンターを選択します。

 **手順2 用紙の方向を指定する**

[縦方向]と表示されたボタンをクリックし、表示されるメニューで[縦方向]または[横方向]を選択します。

 **メモ 印刷の設定を確認しておこう**

印刷の設定は、[ファイル]タブを表示し、左側のメニューで[印刷]を選択して、各ボタン上に表示されているものが現在の設定内容です。印刷を実行する前には、プリンターと用紙のサイズ、印刷の方向を必ず確認しましょう。

 **手順3 用紙のサイズを選択する**

用紙サイズ(初期設定では[A4 210×297mm]と表示されています)が表示されたボタンをクリックし、目的の用紙サイズを選択します。

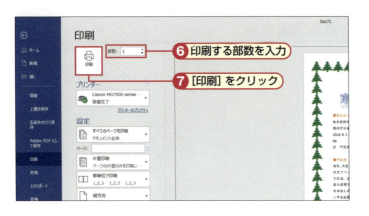

  **手順 4** 印刷する部数を指定して印刷を実行する

[部数]に印刷する部数を入力し、[印刷]ボタンをクリックすると、印刷が開始されます。

##  印刷する範囲を指定する

「現在のページだけ」や「全ページ」など、印刷を実行する範囲を指定したい場合は、Backstageビューの[印刷]画面で、[すべてのページを印刷]と書かれたボタンをクリックし、一覧から目的の印刷範囲を選択します。特定のページのみを印刷したい場合は、[ページ]の右横にあるテキストボックスに、印刷するページ番号を「,(カンマ)」で区切って入力します。また、連続するページを指定する場合は、「1-4」のように最初のページと最後のページを「-(半角のハイフン)」でつなぎます。

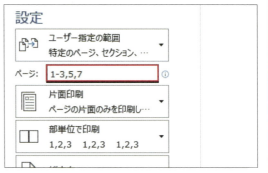

最初のページと最後のページを「-(ハイフン)」でつないで連続したページを指定し、1ページ単位で指定するときは「,(カンマ)」で区切ります。

# 4章

## 文書編集機能を使いこなそう

テキストのコピーや貼り付け、移動は、最も基本的な編集機能ですが、これらの操作を手際よく行えば、作業時間を大幅に短縮できます。キーボード操作によるカーソルの移動やテキストの選択などのテクニックを覚えて、書類の作成に時間をかけないよう工夫してみましょう。

SECTION　キーワード▶カーソルの移動　サンプル番号　04sec30

# 30 カーソルを手際よく移動しよう

文字を削除したり、追加したりする場合は、修正したい位置をクリックし、カーソルを移動して作業します。カーソルをいかにすばやく正確に移動させるかによって、作業効率が左右されます。キーボード操作でのカーソルの移動方法を確認して実践してみましょう。

## 単語単位でカーソルを移動する

**手順1　単語の末尾にカーソルを移動する**

カーソルの位置を確認し、キーボードで[Ctrl]キーを押しながら[→]キーを押して、カーソルを単語の末尾に移動します。

「テント」の先頭にカーソルが表示されています。

[Ctrl]キーを押しながら[→]キーを押す

単語の末尾にカーソルが移動します。

# 行の先頭・末尾にカーソルを移動する

**手順1　行の先頭にカーソルを移動する**

キーボードで [Home] キーを押すと、カーソルが現在の先頭に移動します。

**手順2　行の末尾にカーソルを移動する**

キーボードで [End] キーを押すと、現在の行の末尾にカーソルが移動します。

**手順3　ひらがなに切り替える**

タスクバーにあるMicrosoft IMEのアイコンの「A」をクリックして、ひらがな「あ」に切り替えます。

## 前後の段落に移動する

❶ [Ctrl] キーを押しながら [↓] キーを押す

わからないけれども男性だ。真ん中分けのラフな髪型、青いダウ
ュのズボンを履いている。これは亡くなった人なんだ、そう言い
せて一礼した。↵
□一足ごとに振り返りながら坂を上がり切ると、数メートルを全
ントにもぐりこむ。震えが止まらない。目を閉じると、瞼の裏に
既に午後九時を回っていて、深い山の中を移動するのは得策では
□両手の指を組み合わせ、祈りながら体をぎゅっと縮こまらせて
息を殺す。何も追いかけてこないことは、わかっている。でも、
だ。↵
↵

| 手順1 | 次の段落にカーソルを移動する |

キーボードで [Ctrl] キーを押しながら [↓] キーを押して、カーソルを次の段落の先頭に移動します。

カーソルが1つ下の段落の先頭に移動します

わからないけれども男性だ。真ん中分けのラフな髪型、青いダウ
ュのズボンを履いている。これは亡くなった人なんだ、そう言い
せて一礼した。↵
□一足ごとに振り返りながら坂を上がり切ると、数メートルを全
ントにもぐりこむ。震えが止まらない。目を閉じると、瞼の裏に
既に午後九時を回っていて、深い山の中を移動するのは得策では
□両手の指を組み合わせ、祈りながら体をぎゅっと縮こまらせて
息を殺す。何も追いかけてこないことは、わかっている。でも、
だ。↵
↵

❷ [Ctrl] キーを押しながら [↑] キーを押す

| 手順2 | 1つ前の段落にカーソルを移動する |

キーボードで [Ctrl] キーを押しながら [↑] キーを押して、カーソルを1つ前の段落の先頭に移動します。

カーソルが1つ上の段落の先頭に移動します

わからないけれども男性だ。真ん中分けのラフな髪型、青いダウ
ュのズボンを履いている。これは亡くなった人なんだ、そう言い
せて一礼した。↵
□一足ごとに振り返りながら坂を上がり切ると、数メートルを全
ントにもぐりこむ。震えが止まらない。目を閉じると、瞼の裏に
既に午後九時を回っていて、深い山の中を移動するのは得策では
□両手の指を組み合わせ、祈りながら体をぎゅっと縮こまらせて
息を殺す。何も追いかけてこないことは、わかっている。でも、
だ。↵
↵

# 文書の先頭・末尾にカーソルを移動する

 **文書の先頭にカーソルを移動する**

キーボードで [Ctrl] キーを押しながら [Home] キーを押して、カーソルを文書の先頭に移動します。

 [Ctrl] キーを押しながら [Home] キーを押す

↓

文書の先頭にカーソルが移動します

 [Ctrl] キーを押しながら [End] キーを押す

 **文書の末尾にカーソルを移動する**

キーボードで [Ctrl] キーを押しながら [End] キーを押して、カーソルを文書の末尾に移動します。

↓

文書の末尾にカーソルが移動します

SECTION  キーワード ▶ 段落内開業への挿入  サンプル番号 04sec31

# 31 改行を使いこなして文書の体裁を整えよう

手順解説動画

文中にカーソルがあるときにキーボードの [Enter] キーを押すと、その位置に改行が挿入されるだけでなく、新たに段落が作成されます。段落を変えずに改行したいときは、[Shift] + [Enter] キーを押します。改行の種類と使い方を確認して、文書の編集に役立てましょう。

## 段落を分けずに改行しよう

行の末尾にカーソルを表示しています

❶ [Shift] キーを押しながら [Enter] キーを押す

段落内改行が挿入されます

**手順1 段落内改行を挿入する**

改行する位置にカーソルを挿入し、キーボードで [Shift] キーを押しながら [Enter] キーを押して段落内改行を挿入します。

**メモ 段落内改行とは**

キーボードの [Enter] キーを押し改行すると、行が挿入されると同時に段落が新しく作成されます。段落には見出しや箇条書きの項目を設定できるなど、1つのグループとして扱えます。しかし、左の手順で段落内改行を挿入すると、改行以降の文章も同じ段落のテキストとして扱うことができます。箇条書きで段落内改行を挿入すると、項目として扱われず、行頭記号も表示されません。

## ページの途中で改ページを挿入する

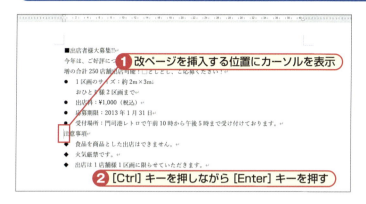

 **改ページを挿入する**

改ページを挿入したい位置にカーソルを移動し、キーボードで [Ctrl] キーを押しながら [Enter] キーを押す。

4 文書編集機能を使いこなそう

---

 **改行記号の表示/非表示を切り替える**

テキストが改行されていても、それが段落を伴う改行なのか、段落内改行なのかわかりません。改行を意識して編集する場合には、改行記号を表示させておきましょう。改行記号を表示されるには、[ファイル] タブを選択し、Backstage ビューの左メニューの最下部にある [オプション] をクリックして、[Word のオプション] ダイアログボックスを表示し、左のメニューで [表示] を選択して、[段落記号] をオンにします。なお、段落を伴う改行は↵で、段落内改行は↓で表示されます。

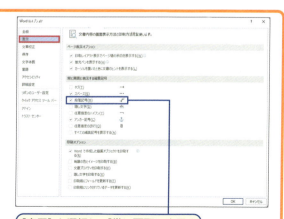

[表示] を選択し、[常に画面に表示する編集記号] にある [段落記号] をオンにして、[OK] をクリックします。

103

SECTION　キーワード▶文字列の選択　　　サンプル番号　04sec32

# 32 文字列を選択しよう

文章を編集する場合、文字の選択が重要な操作となります。単純で簡単な操作ですが、ちょっとしたコツを覚えておくだけで、編集の効率が数段違います。繰り返し文字や段落を選択して、操作に慣れましょう。

## 文字列を選択する

**手順1 選択範囲の開始位置を指定する**

選択範囲の先頭になる位置をクリックします。

**手順2 選択範囲を指定する**

目的の位置までドラッグして、選択範囲を指定します。

 **便利技　文字列の選択を解除する**

　文字列の選択を解除するには、画面の適当な場所をクリックします。なお、一旦選択を解除すると、クイックアクセスツールバーで［元に戻す］ボタンをクリックしても、選択状態には戻せません。

# 単語を選択する

 **手順1** 単語を選択する

目的の単語の上をダブルクリックして、目的の単語を選択します。

 ❶目的の単語をダブルクリック

 **便利技** 単語の選択

単語を選択したい場合は、目的の単語をダブルクリックします。余分な範囲が選択されず、単語のみ選択することができるので便利です。

単語が選択されます

##  メモ 行を選択する

特定の行を選択したい場合は、目的の行の左側にマウスポインタを合わせ、形が △ の状態でクリックします。また、目的の行の左側でダブルクリックすると、その行で始まる段落を選択できます。

行の左にマウスポインタを合わせ、形が △ の状態でクリックすると行を選択できます

## 段落を選択する

 **段落を選択する**

目的の段落にマウスポインタを合わせ、トリプルクリック（3回連続でクリックすること）して段落を選択します。

**メモ 段落を選択する**

特定の段落を選択するには、目的の段落内をトリプルクリック（3回連続ですばやくクリックすること）します。段落内であれば、どの位置をトリプルクリックしても、段落を選択できます。

## 始点と終点を指定して範囲を選択する①

 **選択範囲の始点を指定**

選択範囲の始点となる位置をクリックします。

 **選択範囲を指定する**

キーボードで[Shift]キーを押しながら、選択範囲の終点となる位置をクリックし、選択範囲を指定します。

 **[Shift]キーを利用して文字列を選択する**

ページをまたぐような長い文章を選択する場合は、[Shift]キーを利用した選択方法が便利です。先頭の位置をクリックし、[Shift]キーを押しながら末尾の位置をクリックすると、先頭の位置から末尾までの文字列がすべて選択されます。

## メモ 離れた範囲を選択する

離れた位置にある、複数の文字列を選択するには、1つ目の文字列をドラッグして選択し、2つ目以降の文字列は [Ctrl] キーを押しながらドラッグして選択します。

指定した範囲がすばやく選択できます

## 始点と終点を指定して範囲を選択する②

### 手順1 1つ目の範囲を指定する

目的のテキストをドラッグして1つ目の選択範囲を指定します。

❶ 最初の位置の文字列をドラッグして選択

### 手順2 2つ目の範囲を選択する

キーボードで [Ctrl] キーを押しながら、2つ目の範囲をドラッグします。

❷ [Ctrl] キーを押しながら、次の位置の文字列をドラッグ

離れた位置にある文字列が選択されました

## メモ 文書全体を選択する

文書全体を選択したいときは、任意の行の左側にマウスポインタを合わせ、形が  の状態でトリプルクリック（マウスの左ボタンをすばやく3回連続押すこと）します。また、キーボードで [Ctrl] キーを押したまま [A] キーを押しても文書全体を選択できます。

行の左にマウスポインタを合わせ、形が  の状態でトリプルクリックすると文書全体を選択できます

4 文書編集機能を使いこなそう

SECTION　キーワード▶文字列の修正　サンプル番号　04sec33

# 33 文字列を修正する

Wordでは、文字を削除したり、追加したりすることが簡単にできます。また、間違って変換してしまった漢字も、後から変換し直すことができます。テキストの編集方法を今一度確認して、効率アップを図ってみましょう。

## 前の文字を削除する

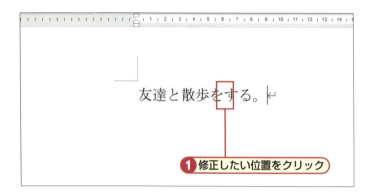

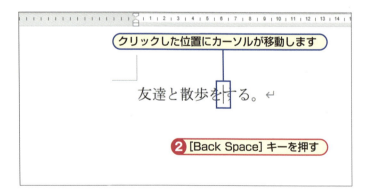

 **削除するテキストの後ろにカーソルを表示する**

削除するテキストの後ろをクリックして、カーソルを表示します。

 **カーソルの前にある文字を削除したい**

カーソルの前にある文字を削除したい場合は、削除する文字の後ろにカーソルを移動し、キーボードの[Back Space]キーを押します。[Back Space]キーを押した回数分の文字を削除できます。

 **文字を削除する**

キーボードの[Back Space]キーを押して文字を削除します。

108

## 後ろの文字を削除する

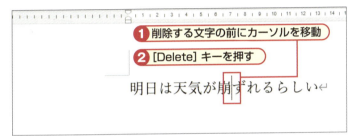

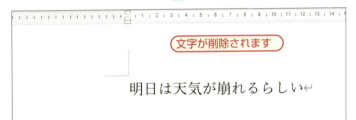

**手順1** 後ろの文字を削除する

削除するテキストの前をクリックして、カーソルを表示し、キーボードの[Delete]キーを押して文字を削除します。

**便利技** カーソルの後ろの文字を削除したい

カーソルの後ろにある文字を削除したい場合は、削除する文字の直前にカーソルを移動し、キーボードの[Delete]キーを押します。[Delete]キーを押した回数分の文字を削除できます。

## 文字をまとめて削除する

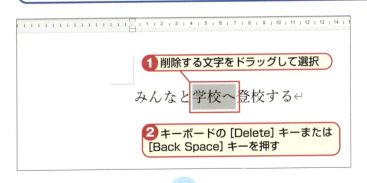

**手順1** 文字をまとめて削除する

目的の範囲をドラッグしてテキストを選択し、キーボードで[Delete]または[Back Space]キーを押して削除します。

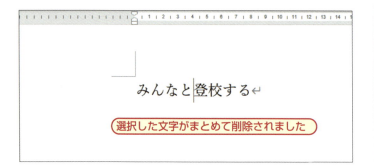

## 指定した位置に文字列を追加する

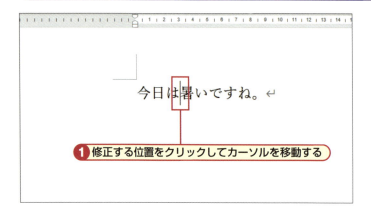

 **文字を追加する位置を指定する**

文字を追加する位置をクリックしてカーソルを表示する

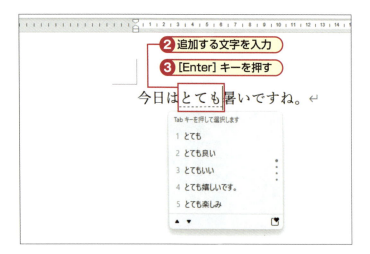

 **テキストを追加する**

テキストを入力し、キーボードで [Enter] キーを押して入力を確定します。

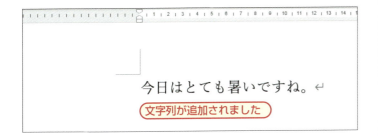

## 確定後の文字列を再変換する

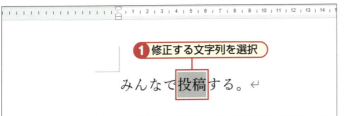

 **再変換するテキストを選択する**

再変換するテキストをドラッグして選択します。

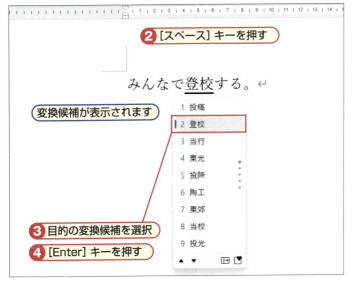

 **テキストを再変換する**

[Space]キーを押すと変換候補が表示されるので、[Space]キーを押して目的の候補を選択し、[Enter]キーを押して確定します。

 **変換後の文字列を再変換する**

文字列は変換が確定していても、後から再変換することができます。変換確定後の文字列を再変換するには、目的の単語や文節をドラッグして選択し、[space]キーまたは[変換]キーを押すと、変換候補の一覧が表示されるので、目的の文字列を選択します。

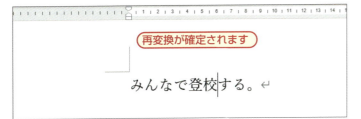

SECTION キーワード▶文字列のコピー／移動　　サンプル番号　04sec34

# 34 文字列をコピー/移動しよう

Wordでは、入力した文字や文章をコピーして別の位置に貼り付けたり、移動させたりすることができます。文字列のコピーと切り取りをうまく活用すれば、文書を効率よく編集できます。文字列をコピー/移動する方法を、マスターしておきましょう。

## 文字列をコピーする

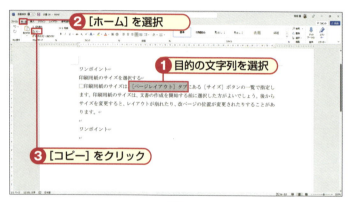

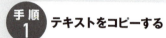

**手順1　テキストをコピーする**

目的のテキストをドラッグして選択し、[ホーム]タブをクリックして、[コピー]をクリックします。

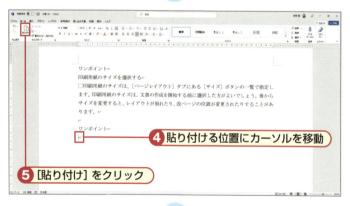

**手順2　コピーしたテキストを貼り付ける**

テキストを貼り付ける位置をクリックし、[ホーム]リボンにある[貼り付け]ボタンをクリックします。

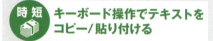

**時短　キーボード操作でテキストをコピー/貼り付ける**

テキストのコピーと貼り付けは、キーボード操作が最も効率的に作業できます。キーボード操作でテキストをコピーするには、目的のテキストを選択し、[Ctrl]キーを押しながら、[C]キーを押します。コピーした文字列を貼り付けるには、貼り付ける位置をクリックし、[Ctrl]キーを押しながら[V]キーを押します。

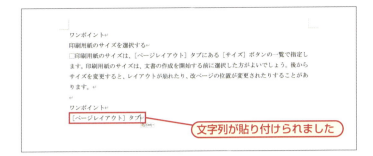

## 文字列を移動する

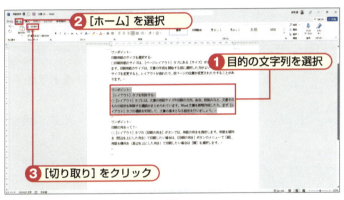

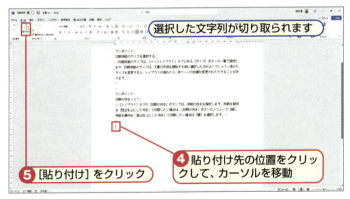

### 手順1 テキストを切り取る

目的のテキストをドラッグして選択し、[ホーム] タブをクリックして、[切り取り] をクリックします。

### 手順2 コピーしたテキストを貼り付ける

テキストを貼り付ける位置をクリックし、[ホーム] リボンにある [貼り付け] ボタンをクリックします。

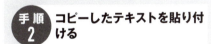

### 時短 キーボード操作で文字列を移動する

キーボード操作で文字列を移動するには、目的の文字列を選択し、[Ctrl] キーを押しながら [X] キーを押して文字列を切り取り、移動先をクリックして [Ctrl] キーを押しながら [V] キーを押します。

文字列が移動しました

## ドラッグ＆ドロップして文字列を移動する

① 目的の文字列を選択

| 手順1 | 移動するテキストをドラッグして選択します。 |

移動するテキストをドラッグして選択します。

② 目的の位置までドラッグ

| 手順2 | テキストを目的の位置までドラッグする |

目的のテキストの上でクリックし、そのまま目的の位置までドラッグします。

| 便利技 | ドラッグ＆ドロップでコピーする |

　ドラッグ操作で文字列をコピーして別の位置に貼り付けるには、目的の文字列を選択し、[Ctrl]キーを押しながら、目的の位置までドラッグします。

文字列が移動しました

SECTION キーワード ▶ 操作の取り消し　　サンプル番号　04sec35

# 35 間違った操作を取り消す

Wordでの操作は記録されていて、文書を保存して閉じてしまわなければ、遡ることができます。単語や文章を間違ったり、間違った書式を設定したりした場合でも、元の状態に戻すことができます。

## 1つ前の状態に戻す

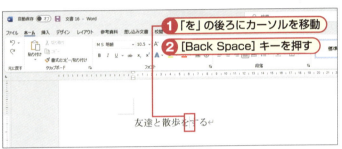

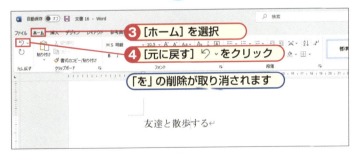

　**文字を削除する**

「を」の後ろにカーソルを移動し、[Back Space]キーを押して「を」を削除します。

　**削除を取り消す**

[ホーム]タブを選択して[元に戻す]をクリックし、削除を取り消して元の状態に戻します。

　**取り消した操作を再実行する**

[やり直し]をクリックし、取り消した削除を再実行します。

> **メモ　[元に戻す]/[やり直し]ボタンが[ホーム]リボンに配置された**
>
> 　Word 2021では、従来はクイックアクセスバーに配置されていた[元に戻す]ボタンと[やり直し]ボタンが[ホーム]リボンの左端に表示されています。ボタンのサイズが大きくなり、操作しやすく変更されています。

## 履歴を指定して操作をさかのぼる

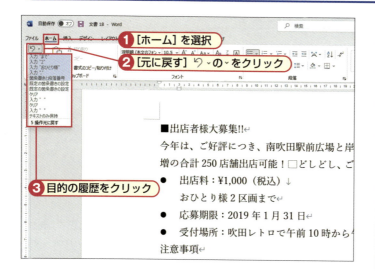

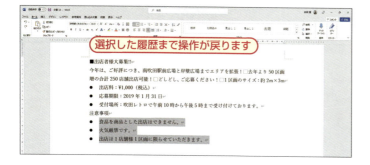

### メモ 操作を取り消す/やり直すショートカットキー

キーボード操作で操作を取り消すには、キーボードで [Ctrl] キーを押しながら [Z] キーを押します。また、取り消した操作をやり直すには、[Ctrl] キーを押しながら [Y] キーを押します。

### 手順1 操作の履歴を選択する

[ホーム] タブを選択し、[元に戻す] ⤺ の ˅ をクリックして操作の履歴を表示し、遡りたい操作をクリックします。

SECTION  キーワード▶検索／置換  サンプル番号 04sec36

# 36 検索と置換を活用しよう

手順解説動画

特定の文字列をチェック・修正する場合は、検索・置換機能を利用しましょう。文中から指定した用語を抽出し、確認しながらチェック、修正できます。検索・置換機能を利用して、効率よく用語を確認、修正しましょう。

4 文書編集機能を使いこなそう

## 指定したキーワードを検索する

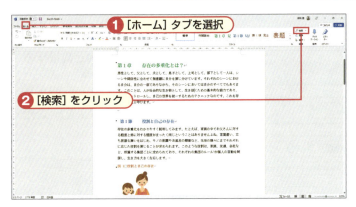

**手順1 ナビゲーションウィンドウを表示する**

[ホーム]タブを選択し、[検索]をクリックして、ナビゲーションウィンドウを表示します。

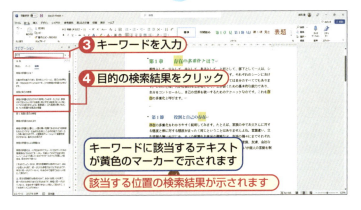

**手順2 検索を実行する**

ナビゲーションウィンドウの検索ボックスにキーワードを入力すると、自動的に検索が実行され、該当するテキストが黄色いマーカーで表示されます。検索結果の一覧で目的の検索項目をクリックすると、その位置の検索結果が表示されます。

**便利技 キーワードで検索する**

キーワードで検索するには、[ホーム]タブにある[検索]ボタンをクリックし、ナビゲーションウィンドウにキーワードを入力します。検索結果は、該当するテキストが黄色のマーカーで示されます。

## キーワードを他のキーワードに置き換える

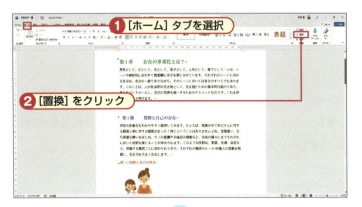

 **手順1** [検索と置換]ダイアログボックスを表示する

[ホーム]タブを選択し、[置換]をクリックして[検索と置換]ダイアログボックスを表示します。

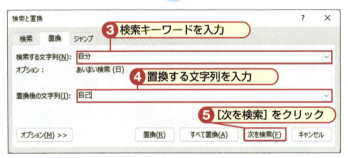

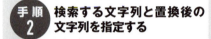 **手順2** 検索する文字列と置換後の文字列を指定する

[検索する文字列]と[置換後の文字列]にそれぞれ目的のテキストを入力し、[次を検索]をクリックします。

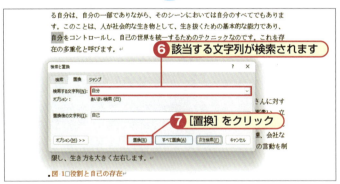

 **手順3** テキストを置換する

検索する文字列に指定した単語が検出されたら、[置換]をクリックして単語を置き換えます。

 **メモ** キーワードを置き換える

　キーワードを別のキーワードに置き換えたい場合は、[検索と置換]ダイアログボックスの[置換]を利用します。検索するキーワードと置き換えるキーワードを入力して検索を実行し、キーワードの置き換えを実行する場合は、[置換]ボタンを、次の検索する場合は[次を検索]ボタンをクリックします。また、一度にキーワードを置き換える場合は、[すべて置換]ボタンをクリックします。

# 5章

## 文書の第一印象を良くするためのテクニック

取引先に提出する書類と社内文書とでは、効果的なフォントの種類やレイアウトが異なります。アピールしたいキーワードの色を変えたり、下線を引いたりするだけで、重要なポイントを正しく、素早く伝えることができます。また、2段組みにしたりドロップキャップを設定したりすると、書類への第一印象が大きく違ってきます。このように、書類の作成には、その内容はもちろん、見た目を整えることも大変重要です。文書の体裁を整えるテクニックを学んで、見栄えのする書類を手際よく作成しましょう。

SECTION **キーワード▶書式変更**　　サンプル番号　05sec37

# 37 書式を変更して文字列を読みやすくしよう

パソコンの文字は、フォントと呼ばれる文字デザインのセットで表示され、多くの種類が用意されています。フォントの種類やサイズによって、書類の印象が大きく左右されます。適切なフォントを選びましょう。

## 文字のサイズを変更する

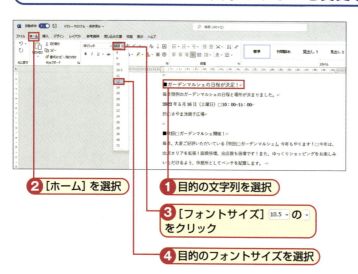

**①** 目的の文字列を選択
**②** [ホーム]を選択
**③** [フォントサイズ]のをクリック
**④** 目的のフォントサイズを選択

### 手順1　サイズを変更する文字列を選択する

文字のサイズを変更する文字列を選択し、[ホーム]タブを選択して、[フォントサイズ]のをクリックして、表示されるサイズの一覧で目的のサイズを選択します。

### メモ　フォントとは

「フォント」とは、同じデザインで統一された文字のセットのことです。日本語のフォントであれば、同じデザインのひらがな、カタカナ、漢字、数字、アルファベットがワンセットになっています。日本のフォントは、大きく分けると「明朝体」と「ゴシック体」に分けられ、「明朝体」は主にフォーマルな文書の本文に、「ゴシック体」はタイトルや見出しなどに使われます。

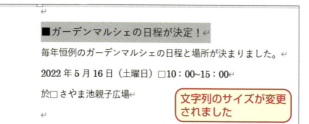

文字列のサイズが変更されました

## フォントの種類を変更する

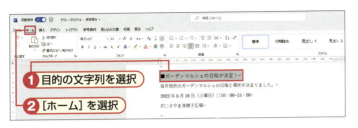

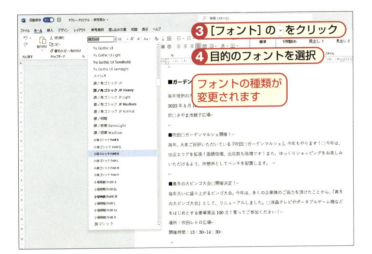

 **手順1 フォントを変更する文字列を選択する**

文字のサイズを変更する文字列を選択し、[ホーム] タブを選択して [ホーム] リボンを表示します。

 **手順2 フォントの種類を選択する**

[フォント] の・をクリックし、表示されるフォントの一覧で目的のフォントを選択します。

 **メモ フォントファミリーとは**

Windows 1の標準フォントの「游ゴシック」には、太さによって「Light」、「Regular」、「Medium」、「Bold」の4種類が用意されています。このように、同じデザインのフォントだけれども、太さが異なるフォントが用意されているグループを「フォントファミリー」といいます。

### 文書の第一印象を良くするためのテクニック 5

 **メモ 文字のサイズを大きくしたら行間が大きく開いた**

フォントのサイズを大きくすると、必要以上に行間が開いてしまうことがあります。文字は、ページに設定されているグリッド線に沿って表示されます。1行のグリッド線に収まるサイズは、游明朝、游ゴシックの場合10.5pt（MS明朝・MSゴシックは13.5pt）までであるためです。フォントサイズを11pt以上（MS明朝・MSゴシックは14pt）に設定すると、1行に収まり切れず、2行分のグリッド線を使って表示されます。必要以上に行間が開いてしまったときは、[ホーム] タブの [段落] グループにある をクリックして [段落] ダイアログボックスの [インデントと行間隔] パネルを表示し、[1ページの行数を指定時に文字を行グリッドに合わせる] をオフにします。

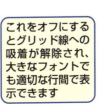

これをオフにするとグリッド線への吸着が解除され、大きなフォントでも適切な行間で表示できます

## 既定のフォントとフォントサイズを変更する

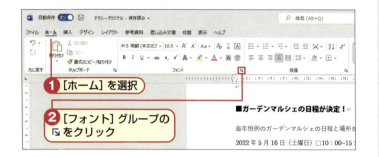

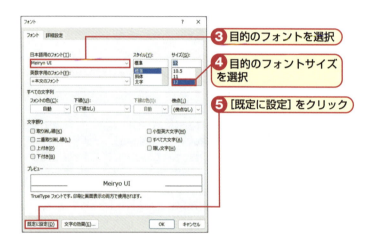

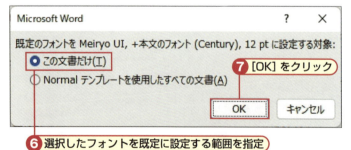

 **[フォント]ダイアログボックスを表示する**

[ホーム]タグを選択し[ホーム]リボンを表示して、[フォント]グループの右下にある□をクリックして[フォント]ダイアログボックスを表示します。

**便利技 既定のフォントを変更する**

「既定のフォント」は、新規文書を作成した際に、入力すると表示されるフォントのことで、フォントの種類やサイズ、書式が決められています。Word 2021の既定のフォントは「游明朝」で、サイズは10.5ptです。既定のフォントは、左の手順に従ってその種類やサイズ、書式を変更することができます。

 **フォントの種類とサイズを指定する**

既定のフォントにするフォントの種類とサイズを選択し、[既定に設定]をクリックします。

 **既定フォントを設定する範囲を選択する**

この操作で既定のフォントが設定される範囲を指定します。この文書ファイルにだけ適用する場合は[この文書だけ]を、すべての文書に適用する場合は[Normalテンプレートを使用したすべての文書]を選択し、[OK]をクリックします。

SECTION  キーワード▶書式設定  サンプル番号 05sec38

# 38 書式を設定して強調しよう

手順解説動画

文字列は、太字や斜体にしたり、下線や波線を引いたりして飾り付けることができます。文字に変化をつけることで、キーワードを強調したり、タイトルを本文と区別しやすくしたりすることができます。適度に文字に書式を設定して、読みやすくしてみましょう。

## 文字列に太字を設定する

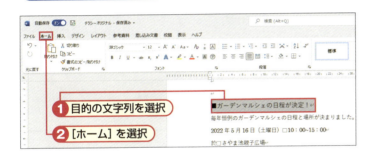

 **[ホーム]リボンを表示**

書式を設定する文字列を選択し、[ホーム]タブを選択して[ホーム]リボンを表示します。

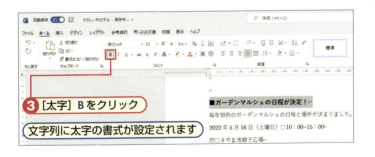

 **[太字]効果を設定する**

目的の文字列を選択し、[ホーム]タブを選択して[太字]Bをクリックします。

 **太字や斜体から元の状態に戻すには**

太字に設定した文字列を、元の状態に戻したい場合は、太字の文字列を選択し、[ホーム]タブにある[太字]ボタンBをクリックします。また、斜体の文字を元に戻す場合も、斜体の文字を選択し[斜体]ボタンIをクリックします。

## 斜体を設定する

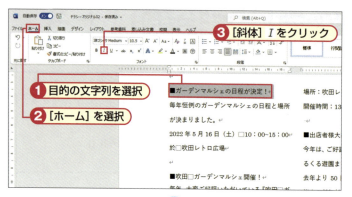

 **斜体を設定する**

目的の文字列を選択し、[ホーム] タブを選択して [斜体] $I$ クリックします。

## 下線を設定する

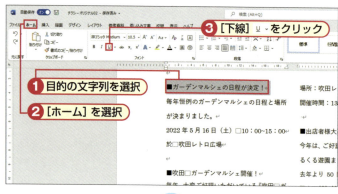

 **下線を引く**

目的の文字列を選択し、[ホーム] タブを選択して [下線] クリックします。

 **文字列に下線を表示する**

文字列に下線を引くには、文字列を選択し、[ホーム] タブの [フォント] グループにある [下線] ボタンをクリックします。[下線] ボタンの をクリックするとメニューが表示され、破線や波線、点線など、線の種類を指定したり、線の色を変更したりすることもできます。

SECTION キーワード▶文字の設定　　　サンプル番号　05sec39

# 39 文字に色や効果を設定する

文字の色を変更すると、重要なキーワードを強調したり、文書全体の印象を変えたりすることができます。適切なキーワードの色を変更して、重要なポイントを強調してみましょう。また、文字に効果を追加すると、より見栄えよく、効果的にアピールできます。

## 文字列に色を付ける

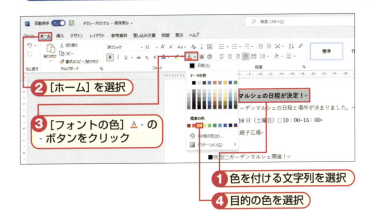

 **手順1　文字列に色を設定する**

色を設定する文字を選択し、[ホーム] タブを選択して、[フォントの色] の ボタンをクリックし、目的の色を選択します。

 **メモ　文字の色を戻すには**

文字の色を初期設定の色（黒）に戻すには、[ホーム] タブを選択し、[フォントの色] ボタン の ボタンをクリックし、[自動] を選択します。

 **便利技　文字列に設定された書式をまとめて解除する**

文字列の配置や文字色、フォント、太字など、文字列に設定されたすべての書式をまとめて解除したい場合は、目的の文字列を選択し、[ホーム] タブにある [すべての書式をクリア] ボタン をクリックします。なお、Word 2021で新規作成された文書の場合、文字列の書式を解除すると、フォントサイズ10.5ポイントの「游明朝」が左揃えで表示されます。

5　文書の第一印象を良くするためのテクニック

# 文字に効果を設定する

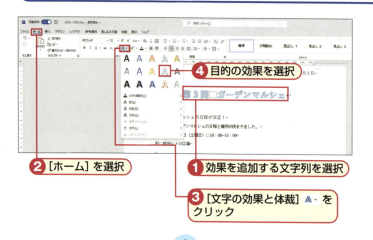

**手順1** 文字列に効果を設定する

効果を設定する文字を選択し、[ホーム]タブを選択して、[文字の効果と体裁]  をクリックし、目的の効果を選択します。

❷ [ホーム] を選択
❹ 目的の効果を選択
❶ 効果を追加する文字列を選択
❸ [文字の効果と体裁] A▼ をクリック

文字列に効果が追加された

## 便利技 文字の効果を編集する

　文字の効果は、後からでも別の効果を追加したり、効果の強さを変更したりすることができます。文書の内容や目的に合った適切な効果になるよう、いろいろと試してみましょう。文字の効果を編集するには、効果が追加された文字列を選択し、[文字の効果と体裁] をクリックし、表示されたメニューから目的の効果を選択します。

- 文字の輪郭：文字の輪郭の色やふち取りの線の太さなどを変更できます
- 影：影の方向や種類を変更できます。
- 反射：反射の種類を変更できます。
- 光彩：光彩の色や程度を変更できます。
- 番号スタイル：数字のスタイルを変更できます
- 合字：合字（複数の文字の組み合わせを1文字として扱うこと）のスタイルを変更できます。
- スタイルセット：スタイルセットを変更できます。

# キーワードをマーカーで強調する

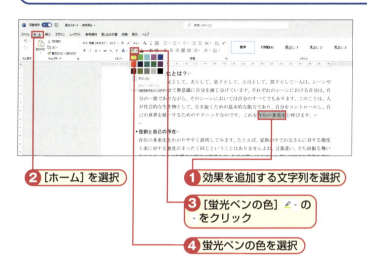

② [ホーム] を選択
① 効果を追加する文字列を選択
③ [蛍光ペンの色] の をクリック
④ 蛍光ペンの色を選択

文字列がマーカーで強調された

 **手順1 文字列に効果を設定する**

マーカーで強調する文字を選択し、[ホーム] タブを選択して、[蛍光ペンの色] の をクリックし、目的の色を選択します。

 **便利技 マーカーを解除する**

文字列に設定されたマーカーを解除するには、マーカーが設定された文字列を選択し、[ホーム] リボンにある [蛍光ペンの色] の をクリックし、メニューで [色なし] を選択します。

 **裏技 連続してマーカーを使用するには**

複数の個所にマーカーで印をつけたいときは、文字列を選択せずに [蛍光ペンの色] の をクリックし目的の色を選択して、文字列をドラッグします。マーカーの使用をやめるときは、再度 [蛍光ペンの色] をクリックします。

## 5 文書の第一印象を良くするためのテクニック

 **便利技 文字列を網かけで強調する**

文字列を網かけで強調したいときは、目的の文字列を選択し、[ホーム] タブをクリックして、[フォント] グループにある [文字の網かけ] をクリックします。この操作を行うと、文字列に15%のグレーの網かけが設定されます。また、網かけを解除したいときは、網かけが設定されている文字列を選択し、再度 [文字の網かけ] をクリックします。

文字列を選択し、[ホーム] リボンにある [文字の網掛け] ボタンをクリックするだけで簡単に文字に網掛けできます

SECTION キーワード ▶ 文字設定のコピー　　サンプル番号　05sec40

# 40 文字列への設定を他の部分にコピーしよう

1つの見出しに色や太字を設定したら、他の見出しにも同じ設定を適用しましょう。文字色や太字、斜体などの設定は、コピーして、他の文字列に貼り付けることができます。書式をコピーして、書類作成の効率を上げましょう。

## 書式を他の文字列に適用する

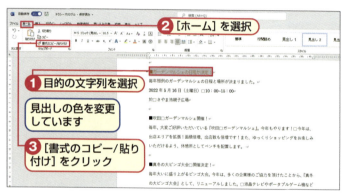

### 手順1　書式をコピーする

目的の文字列を選択し、[ホーム] タブを選択して、[書式のコピー/貼り付け] をクリックします。

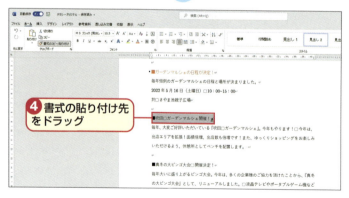

### 手順2　コピーした書式を貼り付ける

マウスポインタの形が  になるので、貼り付け先となる文字列の範囲をドラッグします。

### メモ　文字列の書式をコピーする

文字列に適用された文字の色や太字などの設定を「書式」といい、書式だけをコピーし、他の文字列に適用できます。書式をコピーするには、書式が設定されている文字列を選択し、[ホーム] タブにある [書式のコピー/貼り付け] ボタンをクリックして、書式を適用したい文字列をドラッグします。その際、マウスポインタの形が  になります。

選択した見出しに書式が貼り付けられました

### 時短 キーボード操作で書式のコピー/貼り付けをする

文字列の書式をコピーするには、目的の文字列を選択し、[Ctrl]＋[Shift]＋[C]キーを押します。コピーした書式を貼り付ける場合は、書式を貼り付ける範囲を選択し、[Ctrl]＋[Shift]＋[V]キーを押します。

## 複数の個所に書式を適用する

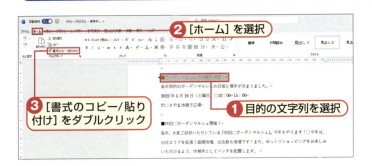

② [ホーム]を選択
③ [書式のコピー/貼り付け]をダブルクリック
① 目的の文字列を選択

### 手順1 書式をコピーする

書式をコピーする文字列を選択し、[ホーム]タブを選択して、[書式のコピー/貼り付け]をダブルクリックします。再度[書式のコピー/貼り付け]をクリックするまで、書式を貼り付けることができます。

④ 次の見出しをドラッグ

### 手順2 次の文字列に書式を適用する

目的の文字列をドラッグして書式を適用します。

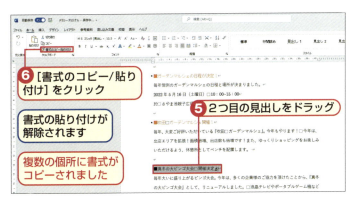

⑥ [書式のコピー/貼り付け]をクリック
書式の貼り付けが解除されます
複数の個所に書式がコピーされました
⑤ 2つ目の見出しをドラッグ

### 手順3 2つ目の文字列に書式を適用する

2つ目の文字列をドラッグして書式を適用します。[書式のコピー/貼り付け]をクリックすると、書式の貼り付けが解除されます。

SECTION　キーワード ▶ 書式の貼り付け　　　サンプル番号　05sec41

# 41 コピーの貼り付け方を使いこなして効率アップしよう

コピー元と貼り付け先の書式が違っていて困るときは、貼り付け機能のオプションで、貼り付ける書式を選択することができます。貼り付け機能のオプションを使いこなして、効率よく作業を進めましょう。

## 元の書式を保持して貼り付ける

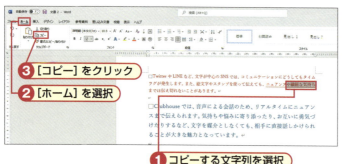

**③** [コピー] をクリック
**②** [ホーム] を選択
**①** コピーする文字列を選択

上の段落は文字色が赤で、フォントサイズが10.5pt、下の段落は文字色が薄い青でフォントサイズが13.5ptです

### 手順1　文字列をコピーする

目的の文字列を選択し、[ホーム] タブを選択して、[コピー] をクリックします。

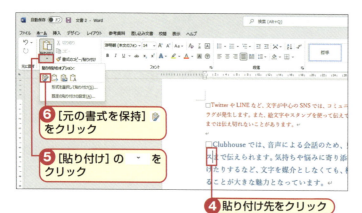

**⑥** [元の書式を保持] をクリック
**⑤** [貼り付け] の ▼ をクリック
**④** 貼り付け先をクリック

### 手順2　元の書式を保持して貼り付ける

貼り付け先をクリックしてカーソルを表示し、[貼り付け] の ▼ をクリックして、表示されるメニューで [元の書式を保持] をクリックします。

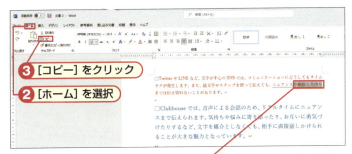

## 2つの書式を統合して貼り付ける

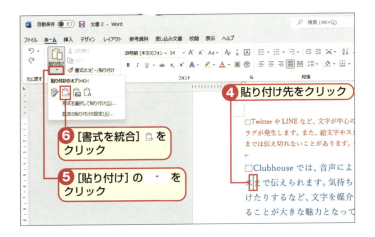

① コピーする文字列を選択

③ [コピー] をクリック
② [ホーム] を選択

④ 貼り付け先をクリック
⑥ [書式を統合] 📋 をクリック
⑤ [貼り付け] の ✕ をクリック

**手順 1** 文字列をコピーする

目的の文字列を選択し、[ホーム] タブを選択して、[コピー] をクリックします。

**便利技** 書式を統合して貼り付ける

貼り付けのオプションで [書式を統合] を選択して貼り付けると、コピー元とコピー先に共通する書式はコピー先の書式、コピー元にしかない書式はコピー元の書式が優先され、組み合わされて貼り付けられます。例えば、コピー元には下線が引かれている場合、コピー先のフォントの種類、サイズ、文字色に、コピー元の下線が組み合わされて貼り付けられます。

**手順 2** 書式を統合して貼り付ける

貼り付け先をクリックしてカーソルを表示し、[貼り付け] の ✕ をクリックして、表示されるメニューで [書式を統合] 📋 をクリックします。

131

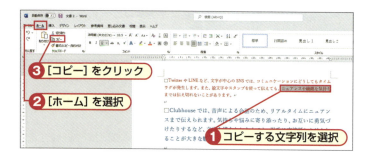

コピー先の書式をベースにコピー元にしかないカテゴリの書式（ここでは下線）が統合され適用されます

## コピーした範囲を図として貼り付ける

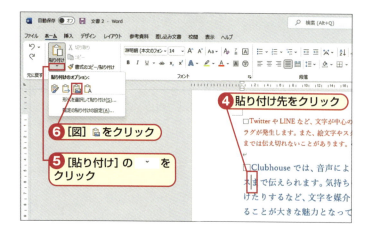

**手順1 文字列をコピーする**

目的の文字列を選択し、[ホーム] タブを選択して、[コピー] をクリックします。

**メモ 図として貼り付けるメリット**

貼り付けのオプションで [図] を選択すると、コピーした内容を画像として貼り付けることができます。表やグラフのレイアウトを崩さずそのまま表示したい場合や、改ざんされたくないデータは、画像として貼り付けておくと便利です。

**手順2 コピーした文字列を図として貼り付ける**

貼り付け先をクリックしてカーソルを表示し、[貼り付け] の  をクリックして、表示されるメニューで [図]  をクリックします。

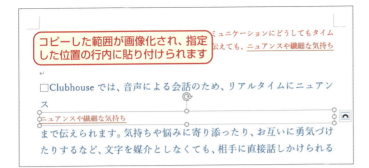

コピーした範囲が画像化され、指定した位置の行内に貼り付けられます

## 貼り付け先の書式を適用して貼り付ける

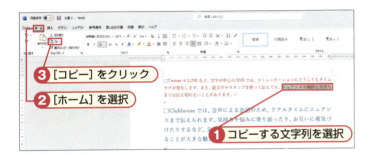

❸ [コピー] をクリック
❷ [ホーム] を選択
❶ コピーする文字列を選択

**手順1** 文字列をコピーする

目的の文字列を選択し、[ホーム] タブを選択して、[コピー] をクリックします。

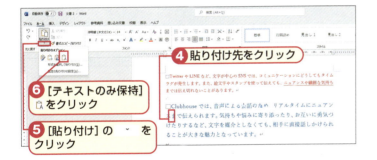

❹ 貼り付け先をクリック
❻ [テキストのみ保持] をクリック
❺ [貼り付け] の ✓ をクリック

**手順2** 貼り付け先の書式で貼り付ける

貼り付け先をクリックしてカーソルを表示し、[貼り付け] の ✓ をクリックして、表示されるメニューで [テキストのみ保持] をクリックします。

貼り付け先の書式が適用されて貼り付けられます

SECTION　キーワード▶文字配置指定　サンプル番号　05sec42

# 42 配置を指定して<br>レイアウトを整えよう

Wordでは、段落揃えのボタンを利用して、文字列をページの左右、中央に簡単に配置できます。また、文字列を指定した幅に均等に割り付けることもできます。文字列を配置する機能を使えば、ビジネス文書やお知らせなどのレイアウトを手際よく整えられます。

## 文字列を右揃えで配置する

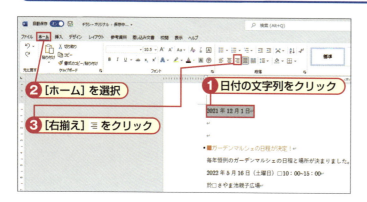

### 手順1　文字列に右揃えを設定する

文字列を選択し、[ホーム]タブを選択して、[段落]グループにある[右揃え]をクリックします。

### 便利技　文字列の配置を設定する

文字列の左右の配置を設定するには、[ホーム]タブの[段落]グループにある5種類のボタンを利用します。それぞれのボタンの機能は下記のとおりです。

[左揃え]：文字列をページの左端に揃える

[中央揃え]：文字列をページの中央に揃える

[右揃え]：文字列をページの右端に揃える

[両端揃え]：複数行に渡る文字列を入力した際にページの両端が揃います

[均等割り付け]：ページの両端を起点としてその間に文字列が等幅で配置されます

## 左揃えと両端揃えの違いを確認しよう

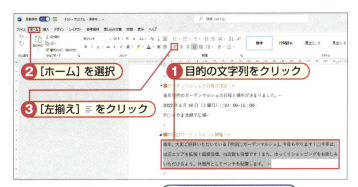

 **文字列に左揃えを設定する**

文字列を選択し、[ホーム] タブを選択して、[段落] グループにある [左揃え] ≡ をクリックします。

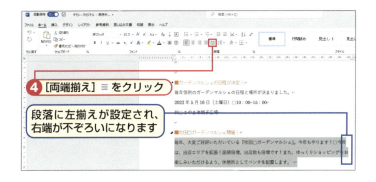

 **文字列に両端揃えを設定する**

[両端揃え] ≡ をクリックして、段落の左右の端を揃えます。

5 文書の第一印象を良くするためのテクニック

## 項目を均等割り付けで配置する

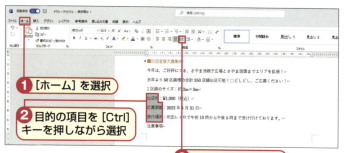

1. [ホーム] を選択
2. 目的の項目を [Ctrl] キーを押しながら選択
3. [均等割り付け]  をクリック

⬇

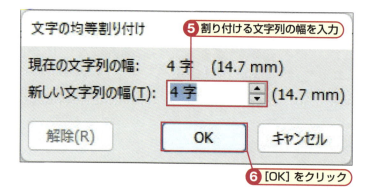

5. 割り付ける文字列の幅を入力
6. [OK] をクリック

⬇

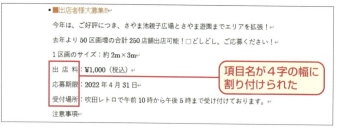

項目名が4字の幅に割り付けられた

### 手順1  項目名に均等割りを設定する

[Ctrl] キーを押しながらドラッグし、項目名を選択します。[ホーム] タブを選択して、[段落] グループにある [均等割り付け]  をクリックします。

### 手順2  割付け幅を指定する

[新しい文字列の幅] に項目名のうち最も多い文字数を入力し、[OK] をクリックします。

### メモ  選択した範囲を均等割り付けする

均等割り付けとは、指定した文字数の両端を起点として、その間に文字列を等幅で配置することです。文字列を均等割り付けするには、目的の範囲を選択し、[均等割り付け] ボタン  をクリックして、表示される画面で割り付ける幅を指定します。

SECTION　キーワード▶箇条書き／段落設定　　　サンプル番号　05sec43

# 43 段落や箇条書きをわかりやすく見せよう

ビジネス文書では、読みやすいように要点が箇条書きにまとめられます。Wordでは、箇条書きをクリック操作で簡単に作成することができます。連番を振ったり、行頭文字を表示したりすることもできます。箇条書きを作成して文書にメリハリをつけましょう。

## 連番の箇条書きを設定する

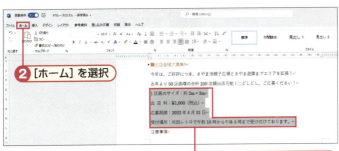

 **手順1　箇条書きにする範囲を選択する**

箇条書きにする範囲を選択し、[ホーム] タブを選択して、[ホーム] リボンを表示します。

**メモ　箇条書きを設定する**

いくつかの項目を簡潔に書きならべたものを「箇条書き」といいます。箇条書きを利用すると、メリハリを付けることができ文書を読みやすくできます。Wordには、箇条書きの項目の先頭に、番号や記号を付ける機能が用意され、箇条書きを目立たせることができます。

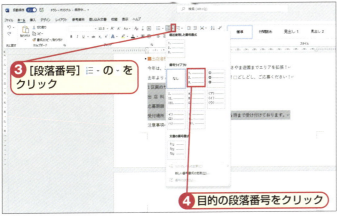

 **手順2　連番の種類を選択する**

[段落] グループにある [段落番号] ≡・の ・をクリックし、目的の段落番号を選択します。

5　文書の第一印象を良くするためのテクニック

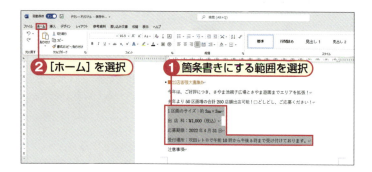

項目に段落番号が設定されました

## 行頭文字の箇条書きを設定する

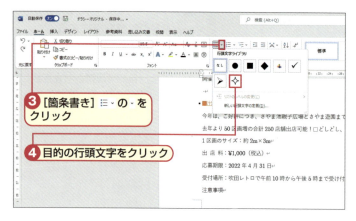

❷ [ホーム] を選択
❶ 箇条書きにする範囲を選択

❸ [箇条書き] の をクリック
❹ 目的の行頭文字をクリック

**手順1** 箇条書きにする範囲を選択する

箇条書きにする範囲を選択し、[ホーム] タブを選択して、[ホーム] リボンを表示します。

**メモ** 行頭文字の箇条書きを設定する

箇条書きでは、連番の箇条書きの他に、行頭記号を表示させる箇条書きを設定することができます。行頭記号の箇条書きを設定するには、目的の文字列の範囲を選択し、[ホーム] タブにある [箇条書き] ボタン の をクリックすると表示されるメニューからで目的の行頭記号を選択します。

**手順2** 行頭文字の種類を選択する

[段落] グループにある [箇条書き] の をクリックし、目的の行頭文字を選択します。

項目に段落番号が設定されました

## リストの途中から番号を振りなおす

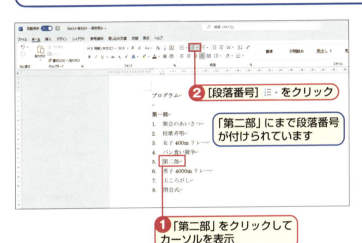

### 手順1 項目の箇条書きを解除する

特定の項目をクリックしてカーソルを表示し、[段落番号] をクリックして項目の箇条書きの番号を非表示にします。

### 裏技 リストにない行頭記号を設定するには

箇条書きの行頭記号にリストにはない図や記号を利用したい場合は、[ホーム] タブにある [箇条書き] ボタン の をクリックすると表示されるメニューで [新しい行頭文字の定義] を選択し、[新しい行頭文字の定義] ダイアログボックスで [記号] または [図] ボタンをクリックして目的の記号や画像を指定します。

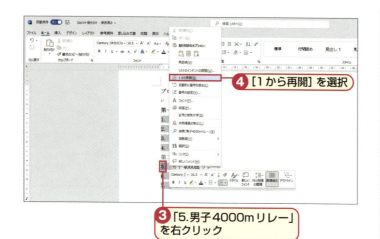

③ 「5.男子4000mリレー」を右クリック

④ [1から再開]を選択

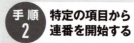

## 手順2 特定の項目から連番を開始する

目的の項目を右クリックし、[1から再開]を選択して、選択した項目を「1」とした連番を開始します。

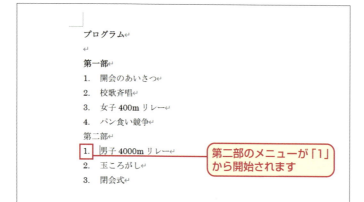

第二部のメニューが「1」から開始されます

### 便利技 段落番号を任意の数字から再開したい

箇条書きに番号を設定している場合で、特定の項目を任意の番号から再開したいときは、目的の項目を右クリックすると表示されるメニューから[番号の設定]を選択し、表示される画面で[新しくリストを開始する]を選択して、目的の番号を入力します。

### 便利技 箇条書きを解除するには

連番付きの箇条書きを解除するには、目的の箇条書きの範囲を選択し、[ホーム]タブにある[段落番号]ボタンをクリックし、[なし]を選択します。また、行頭記号付きの箇条書きを解除する場合は、目的の範囲を選択し、[箇条書き]ボタンをクリックし、[なし]を選択します。

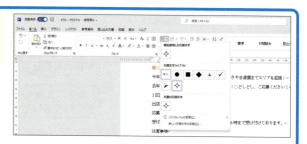

箇条書きを解除するには、箇条書きの文字列を選択し、[箇条書き]のメニューで[なし]を選択します。

SECTION　　キーワード▶罫線／網かけ　　　　　　　　　サンプル番号　05sec44

# 44 文字や段落への罫線や網かけ設定

書類の要点や見出しを目立たせたいときは、段落に罫線や網かけを設定すると便利です。見出しに罫線を設定すると、罫線で囲まれ文書が引き締まります。また、センテンスに網かけを設定すると、重要なポイントを見つけやすくなります。

## 段落に罫線を引く

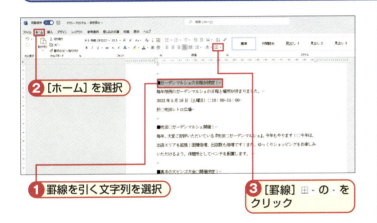

**手順1　罫線の一覧を表示する**

目的の文字列を選択し、[ホーム] タブを選択して、[罫線] ⊞▾ の ▾ をクリックして、罫線の一覧を表示します。

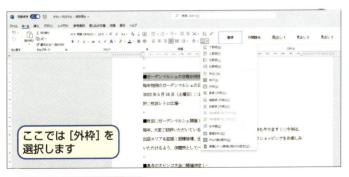

**手順2　罫線のスタイルを指定する**

目的の罫線のスタイルを選択します。ここでは、[外枠] を選択します。

 **段落罫線を設定する**

「段落罫線」は、段落に設定される罫線で、上下左右個別に線種、色、太さを設定することができます。段落全体を囲んで強調したり、見出しを囲んで見栄えをよくしたりする場合に利用されます。

## 文字に網かけを設定する

 **網かけの設定画面を表示する**

目的の文字列を選択して、[ホーム] タブを選択し、[罫線] ⊞ ▾ の ▾ をクリックして罫線の一覧を表示し、[線種とページ罫線と網かけの設定] を選択して [線種とページ罫線と網かけの設定] ダイアログボックスを表示します。

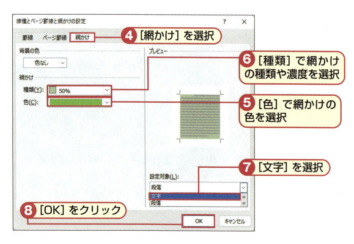

 **網かけを設定する**

[網かけ] タブをクリックし、[色] をクリックして色を選択して、[種類] をクリックし網かけの種類や濃度を選択して、[設定の対象] で [文字] を選択し、[OK] をクリックします。

## 選択範囲を影付きの罫線で囲む

**手順1** 罫線の設定画面を表示する

目的の文字列を選択して、[ホーム] タブを選択し、[罫線] ⊞ ᐯ の ᐯ をクリックして罫線の一覧を表示し、[線種とページ罫線と網かけの設定] を選択して [線種とページ罫線と網かけの設定] ダイアログボックスを表示します。

① 箇条書きの範囲を選択
② [罫線] ⊞ ᐯ の ᐯ をクリック
③ [線種とページ罫線と網かけの設定] を選択

**手順2** 影付き罫線を設定する

[罫線] タブをクリックし、[種類] で [影] を選択して、[種類] で線の種類を、[線の太さ] で罫線の太さを、[設定対象] で [段落] を選択し、[OK] をクリックします。

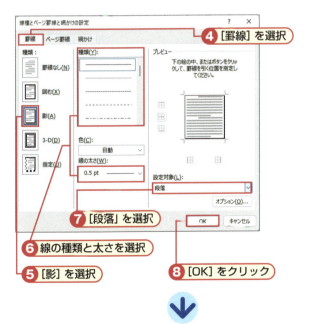

④ [罫線] を選択
⑤ [影] を選択
⑥ 線の種類と太さを選択
⑦ [段落] を選択
⑧ [OK] をクリック

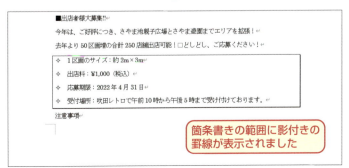

箇条書きの範囲に影付きの罫線が表示されました

**5　文書の第一印象を良くするためのテクニック**

SECTION　キーワード▶書式一括変更　　サンプル番号　05sec45

# 45 書式を一括で変更する テクニックを知っておこう

文書の中から特定のキーワードを探し出して、それぞれに文字色を赤に設定するのは、手間がかかります。このような場合には、[検索と置換] ダイアログボックスで、書式を置換しましょう。同じ要領で、特定のフォントを別のフォントに置き換えることもできます。

## 特定のキーワードの書式を一括で変更する

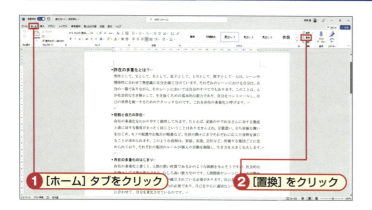

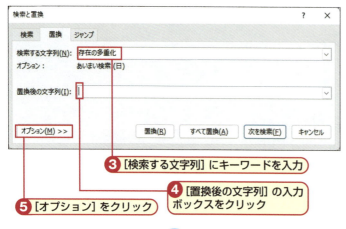

**手順1** [検索と置換] ダイアログボックスを表示する

[ホーム] タブを選択し、[置換] をクリックして [検索と置換] ダイアログボックスを表示します。

**メモ 書式を別の書式に置き換える**

特定のキーワードの書式を別の書式に置き換えたいときは、[検索と置換] ダイアログボックスで検索の対象にキーワードを設定し、置き換えの対象に書式を設定して、置換を実行します。文書の中からキーワードを探し出す手間を省くことができ、効率的に作業を進められます。

**手順2** オプションメニューを表示する

[検索する文字列] にキーワードを入力し、[置換後の文字列] の入力ボックスをクリックして、[オプション] をクリックします。

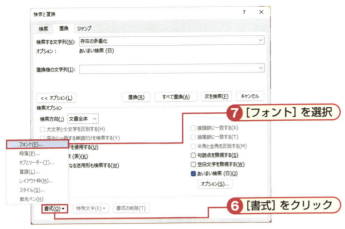

[置換後の文字] ダイアログボックスを表示する

[書式] をクリックし、表示されるメニューで [フォント] を選択して、[置換後の文字] ダイアログボックスを表示します。

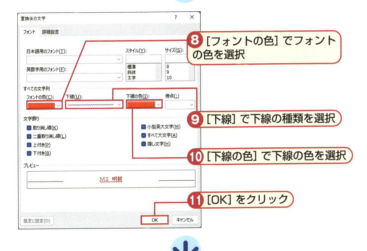

置換後の文字列の書式を指定する

[フォントの色] で文字色を指定し、[下線] で下線の種類を選択して、[下線の色] で下線の色を選択し [OK] をクリックします。

置換を実行する

[すべて置換] をクリックし、置換を実行します。

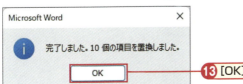

置換の結果を確認する

置換の結果を確認し、[OK] をクリックします。

キーワードに指定した書式が適用されました

 **検索条件をリセットする**

［検索する文字列］や［置換後の文字列］に書式を設定した場合、入力ボックス内を削除しても検索条件がリセットされません。検索条件をリセットするには、［検索する文字列］または［置換後の文字列］の入力ボックスをクリックし、［オプション］をクリックしてオプションメニューを表示して、［書式の削除］をクリックします。

## 特定のフォントを別のフォントに置き換える

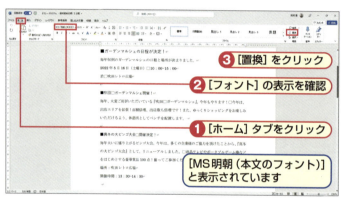

③ ［置換］をクリック
② ［フォント］の表示を確認
① ［ホーム］タブをクリック
［MS明朝（本文のフォント）］と表示されています

 **手順1 置き換えるフォントを確認する**

［フォント］に表示されるフォント名を確認し、［置換］をクリックして、［検索と置換］ダイアログボックスを表示します。

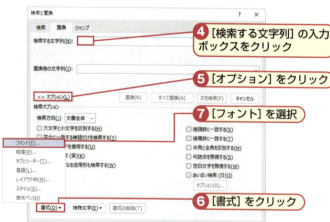

④ ［検索する文字列］の入力ボックスをクリック
⑤ ［オプション］をクリック
⑦ ［フォント］を選択
⑥ ［書式］をクリック

 **手順2 ［検索する文字］ダイアログボックスを表示する**

［検索する文字列］の入力ボックスをクリックし、［オプション］をクリックしてオプションメニューを表示し、［書式］クリックして［フォント］を選択します。

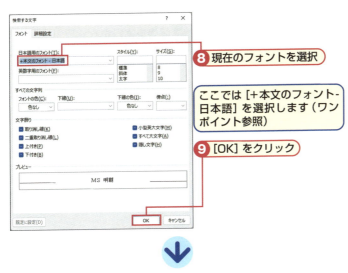

 **検索する書式を指定する**

[日本語用のフォント]であらかじめ確認したフォント名を選択し、[OK]をクリックします。

 **フォントを置き換える際の注意点**

白紙から文書を作成した場合、フォントは「游明朝(本文のフォント)」が設定されています。そのため、游明朝を他のフォントに置き換えたいときは、[検索する文字列]に設定するフォントには[＋本文のフォント－日本語]を選択する必要があります。現在のフォントは、[ホーム]リボンの[フォント]に表示されているフォント名で確認できます。

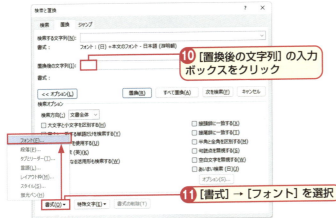

 **[置換後の文字]ダイアログボックスを表示する**

[検索語の文字列]の入力ボックスをクリックし、[書式]をクリックして、[フォント]を選択します。

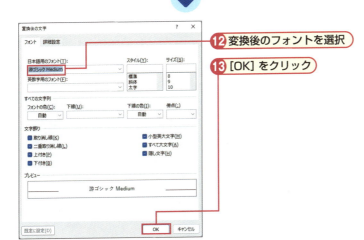

 **変換後の書式を指定する**

[日本語用のフォント]で変換後のフォントを選択し、[OK]をクリックします。

147

**手順6** 置換を実行する

[すべて置換]をクリックして置換を実行します。

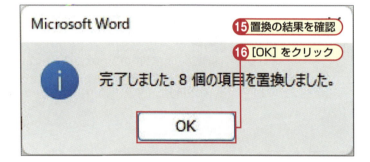

**手順7** 置換の結果を確認する

置換の結果を確認し、[OK]をクリックします。

SECTION キーワード ▶ インデント　　サンプル番号 05sec46

# 46 インデントで段落の開始位置を調節しよう

段落の開始位置や終了位置をまとめて調節する機能をインデントといいます。インデントを利用すると、段落の左端・右端の位置や1行目と2行目以降の開始位置を自由に調節できます。段落の開始位置や終了位置を調節して、見ばえの良い文書を作りましょう。

## インデントとは

「インデント」は、段落の開始位置や終了位置を調節できる機能です。段落の左端の位置や、2行目以降の行の開始位置、段落の右端の位置を、インデントマーカーをドラッグするだけでまとめて調節できます。なお、インデントマーカーには、調節する位置によって次の4種類があるので、調節できる内容を確認しておきましょう。

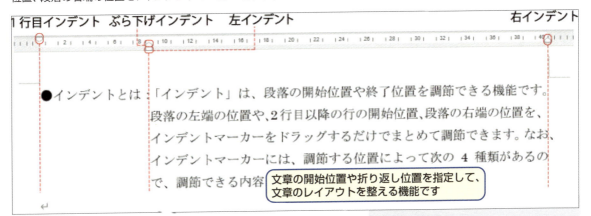

文章の開始位置や折り返し位置を指定して、文章のレイアウトを整える機能です

## インデントの種類

・左インデント

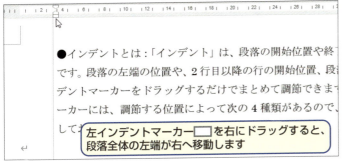

左インデントマーカー□を右にドラッグすると、段落全体の左端が右へ移動します

### メモ 左インデント

「左インデント」は、段落全体を字下げする場合に利用するインデントです。左インデントのインデントマーカーは、このマーカー□の下の四角い部分□で、ドラッグすると1行目インデントマーカー▽とぶら下げインデントマーカー△も移動して、段落全体の左位置が調節されます。

・1行目インデント

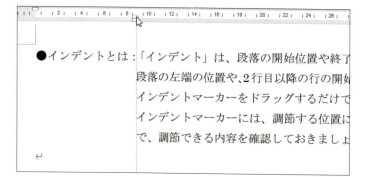

1行目インデントマーカー▽をドラッグすると、1行目の開始位置を指定できます

・ぶら下げインデント

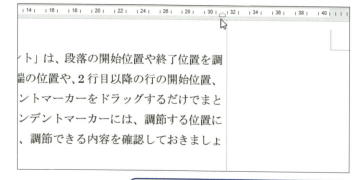

ぶら下げインデントマーカー△をドラッグすると、2行目以降の開始位置を調節できます

・右インデント

右インデントマーカー△をドラッグすると、段落の右端の位置を調節できます

 **1行目インデント**

1行目インデントは、1行目のみの開始位置を調節します。1行目インデントを調節するには、ルーラーの左上部に表示されている1行目インデントマーカー▽をドラッグします。

 **ぶら下げインデント**

「ぶら下げインデント」は、2行目以降の開始位置を調節するインデントです。1行目に項目名があり、それにぶら下がる形で解説を表示したい場合に利用されます。なお、ぶら下げインデントマーカー△は、左インデントマーカー□と一体□となっていますが、ぶら下げインデントマーカー△のみをドラッグするように注意します。

 **右インデント**

右インデントは、段落全体の右側のインデントを設定し、右インデントマーカー△をドラッグして調節します。右インデントマーカー△は、ルーラー（画面上部の定規のこと）の右にあります。

## ルーラーを表示する

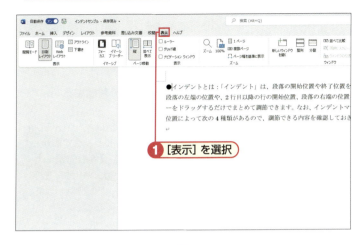

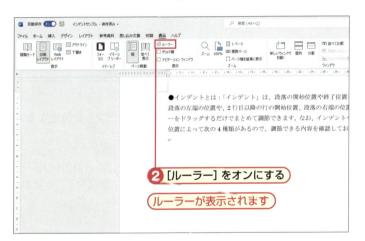

 **[表示] リボンを表示する**

[表示] タブを選択し、[表示] リボンを表示します。

 **ルーラーを表示する**

「ルーラー」とは、文字列や画像、グラフなどの整列のために利用される定規のことです。ルーラーには、インデントを調節するインデントマーカーが表示されているため、インデントを利用する際にはルーラーを表示します。

 **ルーラーを表示する**

[表示] グループにある [ルーラー] をオンにして、ルーラーを表示します。

## インデントを利用して段落の位置を調節する

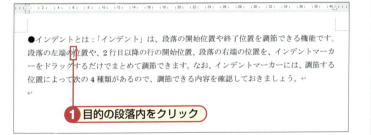

 **インデントの対象となる段落を指定する**

インデントを設定する段落内をクリックして、カーソルを表示させます。なお、複数の段落に同じインデントを設定する場合は、インデントを設定する範囲を選択します。

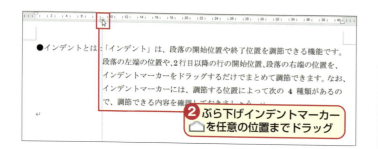

 ぶら下げインデントマーカーを任意の位置までドラッグ

⬇

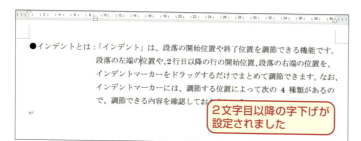

2文字目以降の字下げが設定されました

## ［インデントを増やす］ボタンを利用して左端を調節する

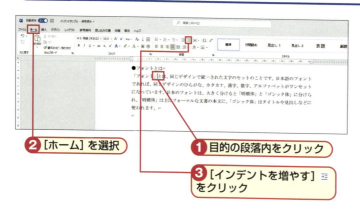

❷ ［ホーム］を選択
❶ 目的の段落内をクリック
❸ ［インデントを増やす］をクリック

⬇

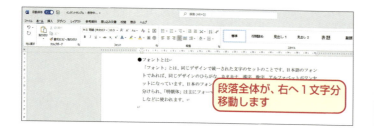

段落全体が、右へ1文字分移動します

---

**手順 2** インデントを設定する

ぶら下げインデントマーカーを目的の位置までドラッグして、2行目以降にインデントを設定します。

**便利技** インデントを解除する

インデントを解除するには、インデントマーカーを元の位置にドラッグするか、インデントが設定された段落の先頭にカーソルを移動し、［Backspace］キーを押して、挿入されたインデントを削除します。

**手順 1** 段落にインデントを設定する

インデントを追加する段落をクリックし、［ホーム］タブを選択して、［段落］グループにある［インデントを増やす］  をクリックします。

**裏技** ボタンを利用してインデントを調節する

［ホーム］タブの［段落］グループには、［インデントを増やす］ボタンと［インデントを減らす］ボタンが用意されており、段落全体の左端の位置を1文字単位で調節できます。

SECTION　キーワード▶ タブ設定　サンプル番号　05sec47

# 47 タブを使って単語やセンテンスをきれいに配置しよう

キーボードの左端の上から2番目にある [Tab] キーを押すと、スペースキーよりも大きな空白が挿入されます。[Tab] キーを押すと挿入される空白をタブといい、単語やセンテンスの位置を調節する際に利用します。このSECTIONでは、タブの使い方を説明します。

## タブとは

「タブ」は、[Tab] キーを押して挿入される空白の幅を調節して、段落や文字列の端や中央を揃えられる機能です。箇条書きの各項目や解説の左端を揃えるなど、単語やセンテンスの開始位置や終了位置などをそろえる場合に利用します。タブを設定するには、そろえたい文字列の直前に [Tab] キーを押して空白を挿入し、ルーラー上でそろえたい位置をクリックしてタブマーカーを設置します。

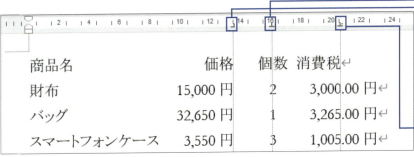

右揃えタブ：「円」の右で揃えられています
中央揃えタブ：「個数」と数値の中央が揃えられています
小数点揃えタブ：数値の小数点の位置で揃えられています

・タブマーカーの種類
・左揃えタブ　：文字列の左端を指定します
・中央揃えタブ　：文字列の中央の位置を指定します
・右揃えタブ　：文字列の右端を指定します
・小数点揃えタブ　：小数点の位置を指定します
・縦棒タブ　：指定した位置に縦の線を表示します

## 文章にタブを挿入する

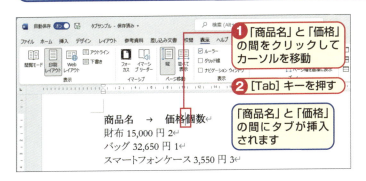

1 「商品名」と「価格」の間をクリックしてカーソルを移動
2 [Tab] キーを押す
「商品名」と「価格」の間にタブが挿入されます

### 手順1 タブを挿入する

「商品名」と「価格」の間にカーソルを移動し、キーボードで [Tab] キーを押してタブを挿入します。

153

文書の第一印象を良くするためのテクニック

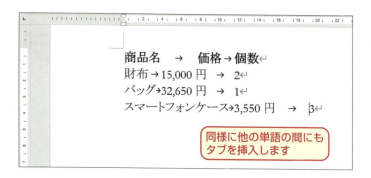
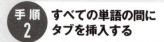 手順2 すべての単語の間にタブを挿入する

すべての単語の間にタブを挿入します。

## 同じ項目の文字列を右端で揃える

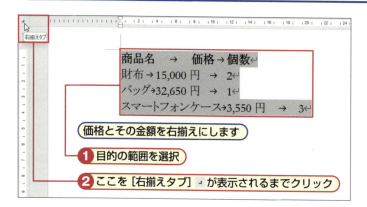
 手順1 ［右揃えタブ］を選択する

タブで体裁を整える範囲を選択し、左上隅を［右揃えタブ］が表示されるまでクリックします。

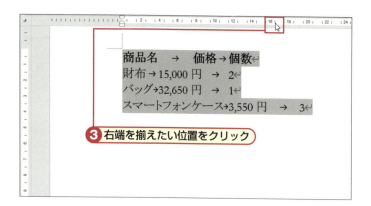
 手順2 右揃えにする位置を指定する

ルーラー上で右揃えにしたい位置をクリックします。

▼価格が右揃えになった

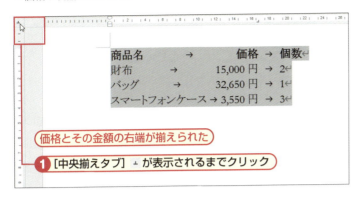

価格とその金額の右端が揃えられた

 ❶ [中央揃えタブ] が表示されるまでクリック

### 手順3 [中央揃え] タブを選択する

左上隅を [中央揃えタブ] が表示されるまでクリックします。

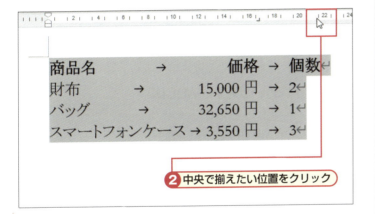

❷ 中央で揃えたい位置をクリック

### 手順2 中央揃えにする位置を指定する

ルーラー上で中央揃えにしたい位置をクリックします。

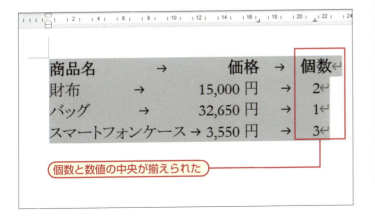

個数と数値の中央が揃えられた

### メモ タブを解除するには

タブの設定を解除するには、目的のタブマーカーをルーラーの外にドラッグします。ただし、文中に [Tab] キーを押して挿入した空白は、そのまま残っているので、必要がなければこれも削除します。

## SECTION キーワード▶行間設定　サンプル番号 05sec48

# 48 行の間隔を設定しよう

手順解説動画

行と行の間隔は、近すぎても遠すぎても読みづらくなります。しかし、適切な行の間隔に設定すると、読みやすくすっきりとした書類になります。[行や段落の間隔]ボタンを利用して、簡単な操作で行の間隔を調節してみましょう。

### 行間とは？

「行間」は、一般的には「行と行の間」という意味ですが、Wordでは「文字の高さ＋次の行までの余白」の距離を指します。初期設定では、1行の行間は18ptで、その位置はあらかじめ設定されているグリッド線を基準とし固定されています。

### 段落の行の間隔を変更する

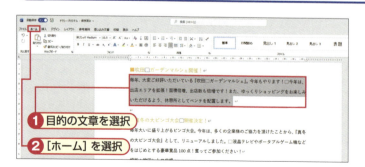

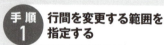
手順1 行間を変更する範囲を指定する

行間を変更する範囲を選択し、[ホーム]タブを選択して、[ホーム]リボンを表示します。

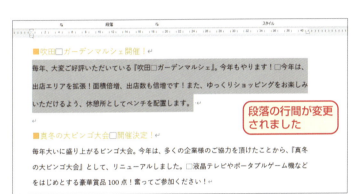

 **手順2　行間を設定する**

[行と段落の間隔] をクリックし、目的の行間を選択します。

 **便利技　簡単な操作で行間を調節する**

[行と段落の間隔] ボタン をクリックすると表示されるメニューには、行間を調節する機能がまとめられています。[1.0]～[3.0] までの値は、1行=18ptとし、その倍数で行間を調節します。例えば、[2.0] を選択すると、18pt×2=36ptの高さとなります。

5　文書の第一印象を良くするためのテクニック

 **フォントサイズを大きくしたら行間が開いた**

　フォントに游明朝、游ゴシック、メイリオを指定した場合、1行=18ptに収まるフォントサイズは10.5ptまでです。フォントサイズ10.5ptを超えると、グリッド線を基準とした2行分の行間が適用されます。フォントサイズを11pt以上の場合に適切な行間を指定したいときは、グリッド線の設定を無効にするか（次ページのメモ参照）、行間を固定値で設定します（次の見出し参照）。

・フォントが「游明朝」「游ゴシック」の場合

| あいうえお□ABCDE |
| かきくけこ□FGHIJ |
| さしすせそ□KLMNO |

フォントサイズ11ptに設定すると、2行分の行間が適用され不自然に広がります

## 特定の値を指定して行間を調節する

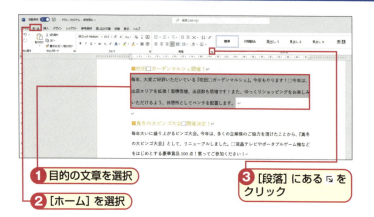

1 目的の文章を選択
2 [ホーム]を選択
3 [段落]にある をクリック

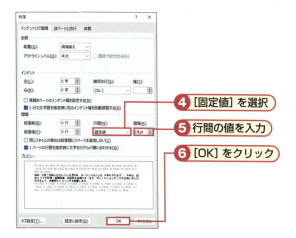

4 [固定値]を選択
5 行間の値を入力
6 [OK]をクリック

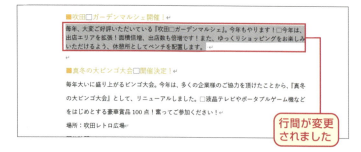

行間が変更されました

 **[段落]ダイアログボックスを表示する**

行間を変更する範囲を選択し、[ホーム]タブを選択して、[段落]グループの右下にある をクリックします。

 **行間を値で指定する**

行間を自由に設定したい場合は、[段落]ダイアログボックスで[行間]の指定方法に[固定値]を選択し、1行の高さを値で指定します。行間を固定値で指定すると、グリッドによる位置の指定は解除され、自由に行間を調節できます。

 **行間に固定値を指定する**

[行間]に[固定値]を選択し、[間隔]に行間をpt数で指定します。

 **グリッドによる行の位置の固定を解除する**

フォントが游明朝、游ゴシック、メイリオの場合はサイズを11pt、MS明朝、MSゴシックの場合は14pt以上に指定すると、必要以上に行間が広がってしまいます。この場合は、行のグリッド線の固定を解除すると、適切な行間を設定できます。グリッド線の設定を無効にするには、この手順に従って[段落]ダイアログボックスの[インデントと行間隔]パネルを表示し（手順2の図参照）、[1ページの行数を指定時に文字を行グリッド線に合わせる]をオフにします。

SECTION キーワード ▶ ドロップギャップ　　サンプル番号　05sec49

# 49 ドロップキャップを設定して読みやすくしよう

手順解説動画

小説やレポートの最初の1文字が大きく表示されていることがあります。最初の1文字を大きく表示させることをドロップキャップといいます。ドロップキャップを設定すると、読者の目を引き付け、本文に誘導する効果があります。

## ドロップキャップを設定する

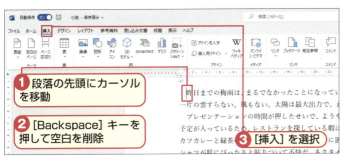

① 段落の先頭にカーソルを移動
② [Backspace] キーを押して空白を削除
③ [挿入] を選択

**手順1** [挿入] リボンを表示する

段落の先頭にスペースやインデントを挿入している場合は削除します。[挿入] タブをクリックして [挿入] リボンを表示します。

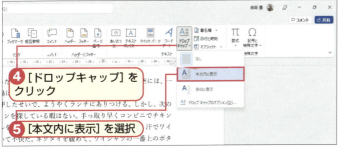

④ [ドロップキャップ] をクリック
⑤ [本文内に表示] を選択

**メモ** ドロップキャップとは

「ドロップキャップ」は、段落の先頭の1文字を大きく表示する強調・装飾の手法です。レポートや小説、エッセイなど比較的長い文章で使用される傾向があります。ドロップキャップを設定すると、読者の目を引き、本文に誘導する効果があります。

**手順2** ドロップキャップのスタイルを選択する

[ドロップキャップ] をクリックし、[本文内に表示] または [余白に表示] のいずれかを選択します。

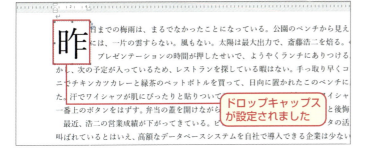

ドロップキャップスが設定されました

5　文書の第一印象を良くするためのテクニック

## ドロップキャップの設定を変更する

1 ドロップキャップを選択
2 [挿入]を選択
3 [ドロップキャップ]→[ドロップキャップのオプション]を選択

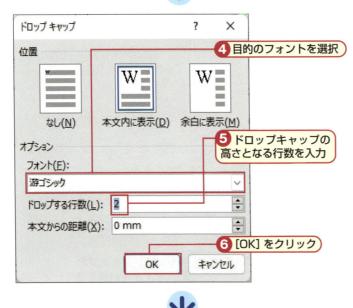

4 目的のフォントを選択
5 ドロップキャップの高さとなる行数を入力
6 [OK]をクリック

ドロップキャップのフォントの種類と高さが変更されました

 **便利技** ドロップキャップを余白に表示する

ドロップキャップを余白に表示させるには、手順2の図で[ドロップキャップ]をクリックし、[余白に表示]を選択します。ドロップキャップを余白に表示させると、本文の左端よりも左側に1文字だけが飛び出すように大きく表示されます。

 **手順1** [ドロップキャップ]ダイアログボックスを表示する

ドロップキャップをクリックして選択し、[挿入]タブを選択して、[ドロップキャップ]→[ドロップキャップのオプション]を選択します。

 **手順2** ドロップキャップのフォントと高さを変更する

[フォント]で目的のフォント(ここでは「游ゴシック」)を選択し、[ドロップする行数]でドロップキャップの高さとなる行数を入力して、[OK]をクリックします。

SECTION キーワード ▶ 段組み設定　　サンプル番号　05sec50

# 50 段組みを設定しよう

長文を読みやすく表示したい場合は、段組みを利用してみましょう。段組みを利用すると、文書をコンパクトにすっきりと見せることができます。イベント情報やチラシなどで段組みを設定すると効果的です。

## 段組みとは

「段組み」とは、横書きなら縦方向、縦書きなら横方向の複数段に分割されたレイアウトのことです。1行当たりの文字数を少なくすることで、文章を読みやすくなります。段組みを利用して、読みやすい文書を作成してみましょう。

左から1段組、2段組、3段組。文書の目的や用途などから、適切な段組みを指定しましょう。

## 段組みを設定する

①目的の範囲を選択

**手順1** 段組みを設定する範囲を選択する

段組みを設定する範囲をすべて選択します。

5 文書の第一印象を良くするためのテクニック

161

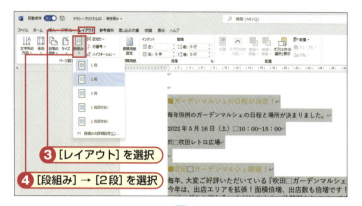

③ [レイアウト] を選択

④ [段組み] → [2段] を選択

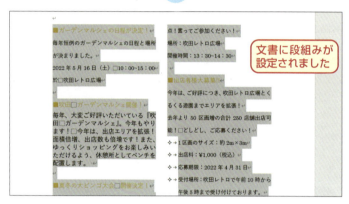

文書に段組みが設定されました

 **手順2 段組みを設定する**

[レイアウト] タブを選択し、[ページ設定] グループにある [段組み] をクリックして、メニューで目的の段組み（ここでは [2段]）を選択します。

 **メモ 段組みを解除するには**

複数の段組みを解除して1段組みに戻すには、段組みが設定されている文章をすべて選択し、[レイアウト] タブを選択して、[段組み] → [1段] を選択します。

---

 **裏技 段組みの詳細を設定する**

段組みの文字の方向や段数、1行の文字数など、段組みの詳細を設定したい場合は、[段組み] ダイアログボックスを利用します。[段組み] ダイアログボックスを表示させるには、[レイアウト] タブの [段組み] ボタンをクリックし、メニューで [段組みの詳細設定] を選択します。段組みの設定を微調整して、見やすい書類にしましょう。

段組みや文字の方向など、文字の表示関連する設定を行います

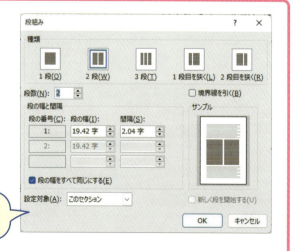

# 6章

## 表やグラフを挿入しよう

文章では説明が難しい数値の推移や傾向なども、表やグラフを使えば一目でわかるように示すことができます。Wordでは、簡単な操作で文書に表やグラフを挿入することができます。また、表やグラフは、編集が容易で、後からでもデータやデザインなどを容易に変更できます。表やグラフの操作手順に慣れて、わかりやすい書類を作りましょう。

# SECTION 51 表を作成しよう

キーワード ▶ 表の作成　　サンプル番号　06sec51

手順解説動画

文書に表を挿入することができます。ビジネス文書をはじめ、当番表や時間割、成績表など、表を利用するだけで、作成できる書類の幅が大きく広がります。表を作成する手順を覚えて、わかりやすい書類を作成してみましょう。

## 表を挿入する

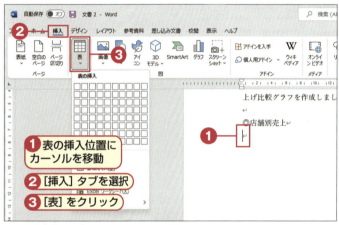

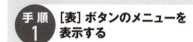

**手順1　[表] ボタンのメニューを表示する**

表を挿入したい位置をクリックしてカーソルを表示し、[挿入] タブをクリックして、[表] ボタンをクリックします。

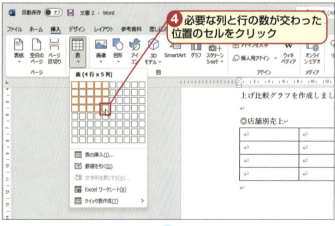

**手順2　表の行・列数を指定する**

表に必要な行数と列数が交わった位置のセルをクリックして表の行数、列数を指定します。

164

（同じ行数・列数の表が作成されます）

| 店舗名 | 第1四半期 | 第2四半期 | 第3四半期 | 第4四半期 |
|---|---|---|---|---|
| 吹田店 | 1,748,965 | 1,589,835 | 1,658,795 | 1,799,908 |
| 富田林店 | 1,957,863 | 1,869,575 | 2,041,857 | 2,155,503 |
| 交野店 | 1,478,945 | 1,578,462 | 1,498,746 | 1,500,024 |

（文字や数値を入力して、表を完成させます）

## セルにデータを入力する

目的のセルをクリックすると、カーソルが表示され編集可能な状態になるので、文字列や数値を入力します。セルに入力すると、文字列と数値の区別なく左揃えで表示されます。

## 行・列数を数値で指定して表を作成する

表の行数と列数を数値で指定して表を作成したい場合は、目的の位置にカーソルを表示し、[挿入]タブを選択して、[表]→[表の挿入]を選択し、[表の挿入]ダイアログボックスを表示します。[列数]、[行数]に目的の数字を入力し、[OK]をクリックするだけで簡単に表を作成できます。

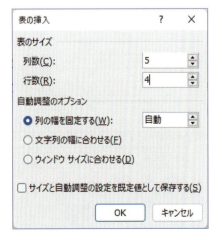

[表の挿入]ダイアログボックスで列・行数を指定して表を作成できます

SECTION キーワード ▶ 表の操作の基本　　サンプル番号　06sec52

# 52 表の操作方法を覚えよう

表を手際よく作成したり編集したりするには、カーソルの移動や行・列・セルの選択が作業効率を左右するといっても過言ではありません。キー操作、マウス操作でのカーソルの移動や選択は、実践することがマスターへの近道です。まずはトライしてみましょう。

## セルを左右に移動する

**右のセルに移動する**

キーボードで [Tab] キーを押して、右のセルにカーソルを移動させます。

**セルを移動する**

行内の次のセルに移動するには、キーボードで [Tab] キーを押します。また、行内の1つ前のセルに移動するには、[Shift] + [Tab] キーを押します。

**左のセルに移動する**

キーボードで [Shift] キーを押しながら [Tab] キーを押して、左隣のセルに移動します。

## 行の先頭・末尾のセルにカーソルを移動する

 **カーソルを行の先頭のセルに移動する**

キーボードで [Alt] キーを押しながら [Home] キーを押して、カーソルを行の先頭のセルに移動します。

 [Alt] キーを押しながら [Home] キーを押す

4列目2行目のセルにカーソルが表示されています

 **カーソルを行の末尾のセルに移動する**

キーボードで [Alt] キーを押しながら [End] キーを押してカーソルを行の末尾のセルに移動します。なお、その際、データが選択されカーソルはデータの先頭に表示されます。

行の先頭のセルにあるデータの先頭にカーソルが移動しました

[Alt] キーを押しながら [End] キーを押す

 **カーソルを上/下のセルに移動する**

カーソルを上のセルに移動するには、キーボードで [↑] キーを、下のセルに移動するには [↓] キーを押します。

行の末尾のセルにカーソルが移動し、データが選択されます

## カーソルをセル内の文字間で移動させる

### 手順1 カーソルをデータの先頭に移動する

キーボードで [Home] キーを押してカーソルをデータの先頭に移動します。

3列目2行目にカーソルが表示されています

 [Home] キーを押す

↓

### 手順2 カーソルをデータの末尾に移動する

キーボードで [End] キーを押してカーソルをデータの末尾に移動します。

データの先頭にカーソルが移動します

 [End] キーを押す

↓

カーソルがデータの末尾に移動します

## 特定のセルを選択する

### 手順1 セルを選択する

マウスポインタをセルの左下隅に合わせ、形が  になるように調節して、クリックしセルを選択します。

> **メモ 値の選択とセルの選択は違う**
>
> セルに入力されているデータをドラッグ操作で選択すると、データしか選択されません。データのみを選択した状態でキーボードの [BackSpace] キーを押すと、データのみが削除されセルは削除されません。この手順に従って、セルを選択した状態で [BackSpace] キーを押すと、セル削除後のデータの移動方向を指定する画面が表示されます。

## 行を選択する

### 手順1 行を選択する

目的の行の左側にマウスポインタを合わせ、形が  になった状態でクリックすると、行を選択できます。

行が選択されました

## 列を選択する

**手順1　列を選択する**

目的の列の上にマウスポインタを合わせ、形が ↓ になった状態でクリックすると、列を選択できます。

① 目的の列の上にマウスポインタを合わせる

② マウスポインタの形が ↓ になるのでクリック

行が選択されます

**メモ　複数のセルの範囲を選択する**

複数のセルの範囲を選択したいときは、始点となるセルから終点となるセルまでドラッグします。また、離れた位置にある複数のセルを選択する場合は、1つ目のセルを選択した後、キーボードで [Ctrl] キーを押しながら、次のセルを選択します。

## 表全体を選択する

### 手順1 表全体を選択する

表の任意の位置をクリックすると左上隅に  が表示されるので、マウスポインタを合わせ、形が の状態でクリックして表全体を選択します。

① 表の任意の位置をクリック
② 表の左隅にある ⊞ にマウスポインタを合わせる
③ マウスポインタの形が になるのでクリック

⬇

表全体が選択されます

---

### 便利技　表のミニツールバーを利用しよう

表のデータやセル、行、列を選択すると、下のようなミニツールバーが表示されます。表の編集時に表示されるミニツールバーには、[セルの削除] や [下に行を挿入] など表の編集に便利な機能がまとめられています。ミニツールバーを使いこなして、表を効率よく編集してみましょう。なお、選択する対象（セル、行、列）によって、表示されるボタンの種類が異なります。

[挿入]：行または列を挿入するメニューが表示されます
[削除]：セルや行、列、表全体を削除するメニューが表示されます
[新しいコメント]：新しいコメントを追加できます
[セルの削除]：削除後の移動を設定する [表の行／列／セルの削除] ダイアログボックスが表示されます
[下に行を挿入]：下に行が挿入されます
[セルの分割]：[セルの分割] ダイアログボックスが表示されます

SECTION　キーワード▶表の編集　　　　　　　　　サンプル番号　06sec53

# 53 表を編集しよう

文書に作成した表では、列や行、セルを追加したり、削除したりするなど、自由に編集することができます。また、行や列のコピーや移動もドラッグ操作で簡単に行えます。セルや行、列の操作方法を覚えて、効率よく表を作成しましょう。

## 行と列を追加する

▼行を追加する

❶ 挿入する位置の行間にマウスポインタを合わせる
行間が強調され ⊕ が表示されます
❷ ⊕ をクリック

指定した位置に行が挿入されます

### 手順1　行を追加する

表の左側でマウスポインタを行の境界線に合わせると、行の追加を示すアイコン ⊕ が表示されるのでクリックして行を追加します。

### 裏技　ボタン操作で行や列を追加する

[表ツール] の [レイアウト] リボンにある [行と列] グループには、表に行と列を追加するボタンが用意されています。表に行を追加する場合は、[上に行を挿入] または [下に行を挿入] ボタンを、列の場合は [左に列を挿入] または [右に列を挿入] ボタンをクリックします。

## 列を追加する

**手順1 列を追加する**

表の上側でマウスポインタを列の境界線に合わせると、列の追加を示すアイコン ⊕ が表示されるのでクリックして列を追加します。

❶ 挿入する列の間にマウスポインタを合わせる
❷ ⊕ をクリック

指定した位置に列が挿入されます

## 行を削除する

**手順1 行を選択する**

目的の行の左側にマウスポインタを合わせ、形が ➚ の状態の状態でクリックして行を選択します。

❶ 目的の行の左にマウスポインタを合わせる
❷ マウスポインタの形が ➚ の状態でクリック

6 表やグラフを挿入しよう

**手順2　行を削除する**

行が選択された状態でキーボードの[Backspace]キーを押すと行が削除され、下の行が上に移動します。

❸ [Backspace] キーを押す

**メモ　列を削除する**

列を削除するには、行の削除と同様に、列を選択して、キーボードで[Backspace]キーを押します。なお、列を選択して[Delete]キーを押すと、列のセルの内容が削除されるだけで、列は削除されません。

行が削除されました

列の場合も、列を選択してキーボードで [Backspace] キーを押します

## セルを挿入・削除する

**手順1　セルを選択する**

マウスポインタを目的のセルの左下隅に合わせ、形が▟の状態でクリックしてセルを選択します。

❶ セルの左下角にマウスポインタを合わせる

❷ マウスポインタの形が▟の状態でクリック

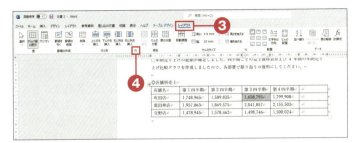

 **[表の行／列／セルの挿入]
ダイアログボックスを表示する**

[表ツール] の [レイアウト] タブを選択
し、[行と列] グループの右下にある ▭ を
クリックして [表の行／列／セルの挿入]
ダイアログボックスを表示します。

❸ [表ツール] の [レ
イアウト] タブを選択

❹ [行と列] グループ
の ▭ をクリック

⬇

❺ [セルを挿入後、
下に伸ばす] を選択

新しい枠（セル）を挿入
する際、既存の枠（セル）
を移動する方向を選択し
ます

❻ [OK] をクリック

 **セルを挿入する**

[表の行／列／セルの挿入] ダイアログ
ボックスが表示されるので、セルの挿入に
よってセルが移動する方向を選択し（ここ
では [セルを挿入後、下に伸ばす] を選
択）、[OK] をクリックします。

⬇

選択した位置にセルが挿入されました

❼ 目的のセルを選択

ここでは追加したセルを選択しています

❽ [Backspace] キーを押す

 **セルを削除する**

セルの挿入によって、既存のセルが下に移
動しました。挿入されたセルが選択されて
いる状態を確認し、キーボードで
[Backspace] キーを押してセルを削除
します。

> **注意 [Delete] キーでは
> セルを削除できない**
>
> セルを削除する場合、セルを選択して、
> キーボードで [Back Space] キーを押し
> ます。セルを選択して、[Delete] キーを
> 押しても、セル内のデータが削除されるだ
> けでセルを削除できません。

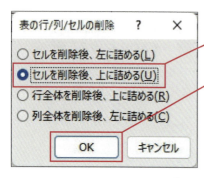

⑨ [セルを削除後、上に詰める] を選択

⑩ [OK] をクリック

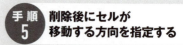

**手順5** 削除後にセルが移動する方向を指定する

[表の行／列／セルの削除] ダイアログボックスが表示されるので、削除後にセルが移動する方向を指定し（ここでは [セルを削除後、上に詰める] を選択します）、[OK] をクリックします。

| 店舗名 | 第1四半期 | 第2四半期 | 第3四半期 | 第4四半期 |
|---|---|---|---|---|
| 吹田店 | 1,748,965 | 1,589,835 | 1,658,795 | 1,799,908 |
| 富田林店 | 1,957,863 | 1,869,575 | 2,041,857 | 2,155,503 |
| 交野店 | 1,478,945 | 1,578,462 | 1,498,746 | 1,500,024 |

セルが削除され、セルが上に移動します

---

## 表を削除する

表を削除するには、表にマウスポインタを合わせると、表の左上に表示されるアイコン⊞をクリックして表全体を選択し、キーボードで [Backspace] キーを押します。なお、表全体を選択した状態で [Delete] キーを押すと、表のデータのみが削除され、表の枠組みは残ります。

| フリガナ | 国語 | 算数 | 合計点 |
|---|---|---|---|
| カトウサトコ | 98 | 95 | |
| サイトウタカシ | 81 | 97 | 178 |
| ヤマダハナミ | 79 | 91 | 170 |
| タナカトシオ | 66 | 86 | 152 |
| ヤマモトヒロシ | 72 | 68 | 140 |
| サトウコウジ | 49 | 86 | 133 |
| ニシダカナコ | 45 | 88 | 133 |
| ワダリョウ | 57 | 70 | 127 |
| ヤマダシュン | 60 | 63 | 123 |
| ワタナベシュウジ | 53 | 66 | 119 |

マウスポインタを表に合わせ、左上にあるアイコン⊞をクリックして表を選択し [Backspace] キーを押すと表が削除されます

SECTION キーワード▶行・列のコピー／移動　　サンプル番号　06sec54

# 54 行や列をコピーする・移動する

Wordで表を作成する場合でも、Excelと同様にドラッグ操作で行や列をコピーしたり移動したりすることができます。データをコピーすると、入力する手間と時間を省くことができ、データを打ち直す際のミスを防ぐことができます。

## 行や列をコピー／移動する

**手順1　列を選択する**

目的の列の最上部にマウスポインタを合わせると形が↓になるので、そのままクリックして列を選択します。

**手順2　列を移動する**

選択した列を目的の位置までドラッグすると、列を移動させることができます。

**メモ　移動先の既存データ**

列を移動させる際、移動先の列にデータが入力されていると、移動させる列がその位置に割り込み、既存の列が右または左に1列ずつ移動します。

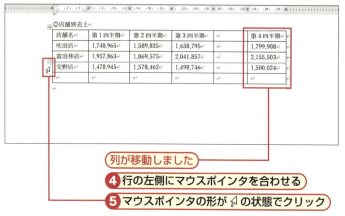

列が移動しました

④ 行の左側にマウスポインタを合わせる

⑤ マウスポインタの形が の状態でクリック

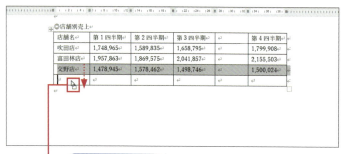

行が選択されます

⑥ [Ctrl] キーを押しながら、目的の位置までドラッグ

行がコピーされました

列の場合も同様の手順でコピーすることができます

**手順 3 　行を選択する**

列が右端に移動しました。目的の行の左にマウスポインタを合わせ、形が の状態でクリックして行を選択します。

**手順 4 　行をコピーする**

選択された行をキーボードで [Ctrl] キーを押しながら、目的の位置までドラッグすると、行がコピーされます。

**便利技　行や列をコピーする**

この手順に従って行や列をコピーすると、ドラッグした先にコピーした行や列が新しく作成されます。移動先にある行や列が上書きされるわけではないため、注意が必要です。

SECTION キーワード▶行・列の高さ／幅　サンプル番号 06sec55

# 55 行・列の高さ／幅を調整する

データを入力したり、追加したりすると、データの長さと列幅や行の高さとのバランスが悪くなることがあります。そんな場合は、行の高さや列の幅を調節しましょう。なお、行や列のサイズの調整方法はいくつかあるため、あらかじめ確認しておくとよいでしょう。

## ドラッグ操作で列の幅を調節する

**手順1　マウスポインタを列の境界線に合わせる**

マウスポインタを列の境界線に、形が⇔になるように合わせます。

❶ 目的の列の境界線にマウスポインタを合わせる

マウスポインタの形が⇔になります

**手順2　列の幅を調節する**

列の境界線を目的のサイズになるまでドラッグして、幅を調節します。

❷ 列の境界線を目的の幅になるまでドラッグ

列の幅を調整できます

**便利技　行の高さや列の幅を調節する**

行の高さを調節するには、横の罫線にマウスポインタを合わせ、形が⇕になったら、そのまま目的の高さになるまでドラッグします。また、列の幅を調節する場合も、縦の罫線にマウスポインタを合わせ、形が⇔になったら目的の幅になるまでドラッグします。

## ダブルクリックで列幅を自動調整する

❶ 目的の列の境界線にマウスポインタを合わせる

マウスポインタの形が ↔ になります

❷ 列の境界線をダブルクリック

列幅が適切なサイズに自動調整されます

### 手順1 列の境界線をダブルクリックする

マウスポインタを列の境界線に、形が ↔ になるように合わせ、ダブルクリックすると、列の幅が自動調整されます。

**注意 行の高さは自動調整できない**

列の場合は、境界線をダブルクリックすると列幅が自動調整されますが、行の境界線をダブルクリックしても、行の高さは自動調整できません。

## 列幅を均等にそろえる

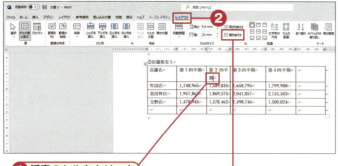

❶ 任意のセルをクリック

❷ [表ツール] の [レイアウト] を選択

❸ [幅を揃える] をクリック

### 手順1 列幅を均等にそろえる

表の任意のセルをクリックし、[表ツール] の [レイアウト] タブを選択して、[セルのサイズ] グループにある [幅を揃える] をクリックし、列の幅を均等に揃えます。

（列の幅が均等にそろえられた）

**メモ　行の高さを揃える**

すべての行の高さを揃えたいときは、任意のセルをクリックし、[表のツール] の [レイアウト] タブを選択して [高さを揃える] をクリックします。

## 表の幅をウィンドウの幅に合わせる

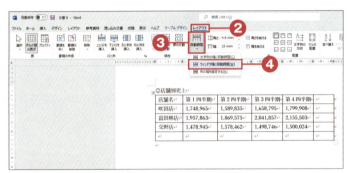

① 任意のセルをクリック
② [表ツール] の [レイアウト] を選択
③ [自動調整] をクリック
④ [ウィンドウの幅に自動調整] を選択

（表の幅がウィンドウの幅に合わせて調整されました）

**手順1　ウインドウの幅に合わせる**

表の任意のセルをクリックし、[表ツール] の [レイアウト] タブを選択して、[セルのサイズ] グループにある [自動調整] をクリックし、[ウィンドウの幅に自動調整] を選択すると表の幅がウィンドウの幅に合わせて調整されます。

**裏技　データの幅に合わせて列幅を調整する**

データの幅に合わせて列の幅を調節するには、表の任意のセルをクリックし、[表ツール] の [レイアウト] リボンにある [自動調整] をクリックし [文字列の幅に自動調整] を選択します。

6　表やグラフを挿入しよう

SECTION キーワード ▶ セルの結合／分割　　サンプル番号　06sec56

# 56 セルを結合・分割する

表で大項目に複数の小項目が含まれる場合、大項目を1つのセルに結合すると、表が整理され見やすくなります。Wordの表では、セルを分割したり、結合したりすることができます。セルの分割、結合を上手に利用して、まとまりのある表を作成してみましょう。

## セルを結合・分割する

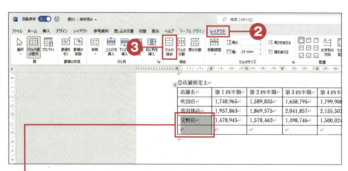

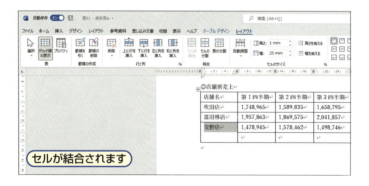

**手順1　セルを結合する**

結合するセルを選択し、[表ツール]の[レイアウト]タブを選択して、[セルの結合]をクリックすると、選択したセルが結合されます。

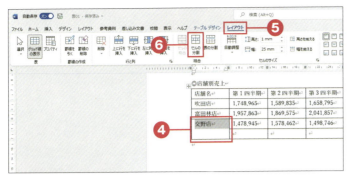

 分割するセルを選択

 [セルの分割] をクリック

[表ツール] の [レイアウト] タブを選択

### 手順 2 [セルの分割] ダイアログボックスを表示する

分割するセルを選択し、[表ツール] の [レイアウト] タブを選択して、[セルの分割] をクリックすると、[セルの分割] ダイアログボックスが表示されます。

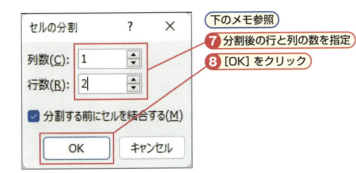

下のメモ参照

 分割後の行と列の数を指定

[OK] をクリック

### 手順 3 分割後のセルの数を指定する

分割後のセルの数を [列数] と [行数] に入力し、[分割する前にセルを結合する] をオンにして、[OK] をクリックします。

---

 **分割する前にセルを結合する**

[セルの分割] ダイアログボックス (手順3の図参照) で指定する [列数] と [行数] は、1つのセルに対して適用されます。そのため、横に並んだ2つのセルを選択し、[分割する前にセルを結合する] をオフにして、[列数] に「3」、[行数] に「1」と指定して分割を実行すると、全部で6つのセルに分割されます。横に並んだ2つのセルを全部で3つに分割したいときは、[分割する前にセルを結合する] をオンにして、[列数] を「3」に指定する必要があります。

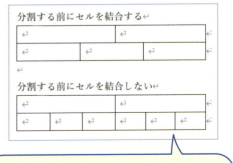

[分割する前にセルを結合する] のオンとオフとでは、結果が異なります

# 6

表やグラフを挿入しよう

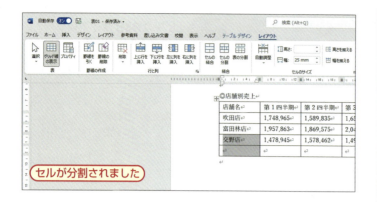

セルが分割されました

# 表を分割する

① 表を分けたい位置のセルをクリック
② [表ツール] の [レイアウト] を選択
③ [表の分割] をクリック

選択したセルの上で表が分割されます

### 手順1 表を分割する

表を分割する位置のセルをクリックし、[表ツール] の [レイアウト] タブを選択して、[表の分割] をクリックします。

### 便利技 分割した表を元に戻すには

左の手順に従うと、カーソルを挿入した行の上に、段落の1行挿入され、表が分割されます。そのため、挿入された行を削除すると、分割された表が元の表に戻ります。

SECTION　キーワード▶データ表示の編集　　　サンプル番号　06sec57

# 57 データの表示を整える

Wordの表では、セルに入力すると文字や数字にかかわらず、データはすべて上揃えの左揃えで表示されます。必要な場合は、データの配置を適切な位置に変更しましょう。また、セルの余白やセルの間隔を変更して、わかりやすく表示できるように工夫してみましょう。

## 文字列の配置を変更する

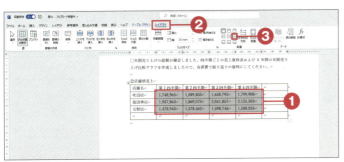

❶ 目的のセルの範囲を選択
❷ [表ツール] の [レイアウト] タブを選択
❸ [中央揃え（右）]  をクリック

**手順1** タイトル行を中央揃えに設定する

目的のセル範囲を選択し、[表ツール] の [レイアウト] タブを選択して、[連絡グループ] にある [中央揃え（右）]  をクリックし、データを上下中央の右揃えにします。

### メモ　枠（セル）内の文字列の配置を変更する

表の初期設定では、入力された文字列や数値はすべて左揃えで表示されます。タイトルや数値など、枠（セル）内の配置を変更したい場合は、[表ツール] の [レイアウト] タブにある [配置] グループの9つのボタンを利用します。[配置] グループのボタンの種類は次の通りです。

- [上揃え（左）]　：セルの上部に左揃えで表示されます
- [上揃え（中央）]　：セルの上部に中央揃えで表示されます
- [上揃え（右）]　：セルの上部に右揃えで表示されます
- [中央揃え（左）]　：セルの上下中央に左揃えで表示されます
- [中央揃え]　：セルの上下中央に中央揃えで表示されます
- [中央揃え（右）]　：セルの上下中央に右揃えで表示されます
- [下揃え（左）]　：セルの下部に左揃えで表示されます
- [下揃え（中央）]　：セルの下部に中央揃えで表示されます
- [下揃え（右）]　：セルの下部に右揃えで表示されます

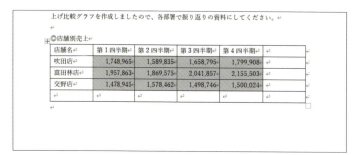

選択した範囲の文字列が上下中央の右揃えになりました

## 文字の向きを切り替える

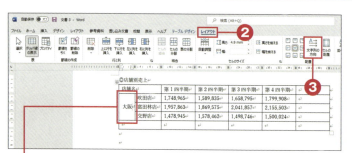

① 目的のセルをクリック　③ [文字列の方向] をクリック
② [表ツール] の [レイアウト] を選択

文字の方向が切り替わります

### 手順1　文字の向きを切り替える

目的のセルをクリックし、[表ツール] の [レイアウト] タブを選択して、[文字の方向] をクリックすると、セルの文字の方向が縦に切り替わります。

### メモ　文字の向きを元に戻すには

文字の方向を元に戻すには、目的のセルをクリックし、再度 [表ツール] の [レイアウト] リボンにある [文字の方向] をクリックします。

# セルの余白やセルの間隔を設定する

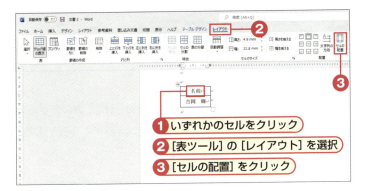

① いずれかのセルをクリック
② [表ツール] の [レイアウト] を選択
③ [セルの配置] をクリック

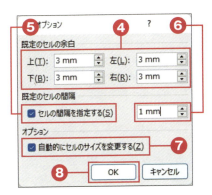

④ 内側の上下左右の余白を入力
⑤ これをオンにする
⑥ セル間の距離を入力
⑦ これをオンにする
⑧ [OK] をクリック

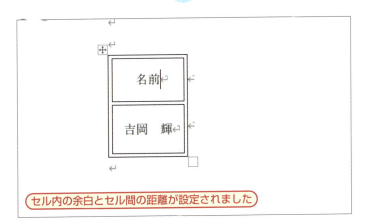

セル内の余白とセル間の距離が設定されました

### 手順1 [表のオプション] ダイアログボックスを表示する

任意のセルをクリックし、[表ツール] の [レイアウト] タブを選択して、[セルの配置] をクリックすると、[表のオプション] ダイアログボックスが表示されます。

### 手順2 セルの余白と間隔を指定する

セル内の上下左右の余白を入力し、[セルの間隔を指定する] をオンにして目的の間隔を入力し、[OK] をクリックします。

SECTION キーワード ▶ 表のデザイン　　サンプル番号　06sec58

# 58 表のデザインを変更しよう

Wordには、色や罫線の太さ、フォントなどがバランスよく組み合わされた、表のデザインのセットが用意されています。表のデザインのセットを適用すると、タイトル行や罫線、フォントの種類や色などを一度の操作で設定することができます。

## 表にスタイルを適用する

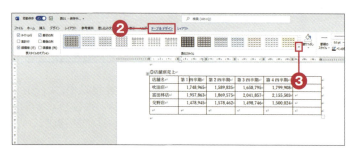

① 表のいずれかのセルを選択
② [表ツール] の [テーブルデザイン] を選択
③ このボタン をクリック

④ 目的のスタイルを選択

**手順1** スタイルの一覧を表示する

任意のセルをクリックし、[表ツール] の [テーブルデザイン] タブを選択して、[表のスタイル] にあるボタン をクリックし表のスタイルの一覧を表示します。

**メモ** 表をカラフルにしよう

Wordには、行や列の色、罫線の太さ、文字の色などがバランスよく設定されたデザインのセットが用意されています。表のスタイルを変更することで、見やすくなる上に、読者の興味を引くことができます。書類の内容や目的に合わせて、表のスタイルを変更してみましょう。

**手順2** スタイルを選択する

表示されたスタイルの一覧で、目的のスタイルをクリックします。

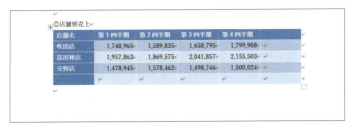

(表にデザインが適用されました)

## 罫線のスタイルを変更する

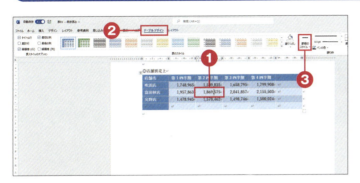

**手順1 罫線のスタイル一覧を表示する**

任意のセルをクリックし、[表ツール] の [テーブルデザイン] タブを選択して、[罫線のスタイル] をクリックし、罫線のスタイル一覧を表示します。

❶ 任意のセルをクリック
❷ [表ツール] の [テーブルデザイン] を選択
❸ [罫線のスタイル] をクリック

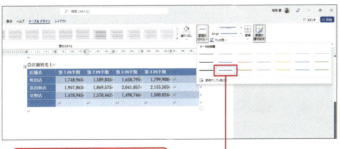

**手順2 罫線のスタイルを選択する**

罫線のスタイル一覧で目的のスタイルをクリックします。

❹ 目的の罫線のスタイルを選択

### 手順3 罫線にスタイルを適用する

マウスポインタの形がになるので、目的の罫線をドラッグしてスタイルを適用します。

⑤ スタイルを適用する罫線をドラッグ

罫線に目的のスタイルが適用された

---

 **罫線の書式を設定する**

表の罫線の書式を設定するには、[表ツール]の[テーブルデザイン]リボンにある[飾り枠]グループの機能を利用します。罫線の種類を指定する場合は[ペンのスタイル]、罫線の太さを指定する場合は[ペンの太さ]のメニューで目的の設定を選択します。罫線の表示位置を指定するには、[罫線]ボタンをクリックし、メニューで表示位置を指定します。

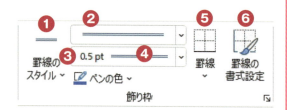

❶ [罫線のスタイル]：罫線の色や種類、太さのセットを選択します

❷ [ペンのスタイル]：罫線の種類を選択します

❸ [ペンの太さ]：罫線の太さを選択します

❹ [ペンの色]：罫線の色を選択します

❺ [罫線]：罫線の表示位置を指定します

❻ [罫線の書式設定]：目的の罫線をドラッグして、指定した罫線の書式を罫線に適用します

# 表のデザインを編集する

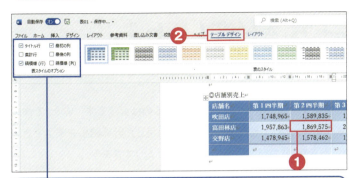

[表スタイルのオプション]で濃い色で表示される個所に[タイトル行]、[最初の列]が指定され、行の縞模様のデザインが設定されています

1 任意のセルをクリック
2 [表ツール]の[テーブルデザイン]タブを選択

 **手順1　表のスタイルを確認する**

任意のセルをクリックし、[表ツール]の[テーブルデザイン]タブを選択し、[表スタイルのオプション]グループで、表のスタイルを確認します。

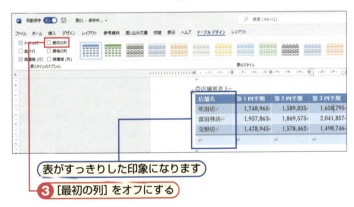

表がすっきりした印象になります

3 [最初の列]をオフにする

 **手順2　表のスタイルを変更する**

[表スタイルのオプション]で[最初の列]をオフにすると、表の最初の列が薄い色に変更され、すっきりしたイメージになりました。

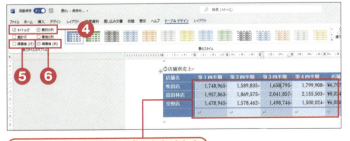

四半期の売上が見やすい表になりました

4 [タイトル行]と[最初の列]をオンにする
5 [縞模様(行)]をオフにする
6 [縞模様(列)]をオンにする

 **手順3　各部位の色やスタイルを変更する**

[表スタイルのオプション]で[タイトル行]と[最初の列]をオンにし、[縞模様(行)]をオフにして、[縞模様(列)]をオンにすると、列の数値が読みやすくなります。

SECTION　キーワード ▶ 計算式　　　　サンプル番号　06sec59

# 59 表の合計を計算しよう

表を作るのが簡単でも、数値を手元で計算してから入力するのは大変です。Wordで作成した表では、セルに計算式を入力して、他のセルの数値を利用した計算結果を表示できます。計算式を利用すると、ミスを防いだり、計算の手間を省いたりできます。

## 店舗別の合計を計算する

① 計算式を記述するセルをクリック
② [表ツール] の [レイアウト] タブを選択
③ [計算式] をクリック

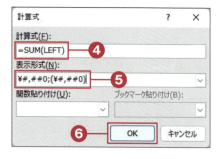

④ 「=SUM(LEFT)」と入力
⑤ 表示形式を選択
⑥ [OK] をクリック

**手順1** [計算式] ダイアログボックスを表示する

計算式を記述するセルをクリックし、[表ツール] の [レイアウト] タブを選択して、[計算式] をクリックし [計算式] ダイアログボックスを表示します。

**メモ** 計算する手間を省こう

表のセルには、計算式を入力して、他のセルの数値を使った計算を行えます。計算式を利用することで、手元で計算する手間を省ける上、計算ミスを防ぐこともできます。計算式には、「=SUM(LEFT)」のように、「=」の後に実行する計算方法と計算する枠（セル）の方向を指定します。

**手順2** 計算式を入力する

[計算式] に「=SUM(LEFT)」と入力し、目的の表示形式を選択して、[OK] をクリックすると計算が実行されます。

▼計算結果が表示された

計算結果が表示されます

### メモ 引数に計算する方向を指定する

[計算式] ダイアログボックスに計算式を入力するには、まず「=（等号）」を入力し、SUM（合計）やAVERAGE（平均）などの関数名を記述して、引数には「LEFT（左）」や「ABOVE（上）」のように計算の方向を記述します。なお、計算の方向として指定できるものに、「LEFT（左）」、「RIGHT（右）」、「ABOVE（上）」、「BELOW（下）」の4方向があります。

## セルを指定して計算する

 手順1 [計算式] ダイアログボックスを表示する

計算式を記述するセルをクリックし、[表ツール] の [レイアウト] タブを選択して、[計算式] をクリックし [計算式] ダイアログボックスを表示します。

 計算式を記述するセルをクリック
 [表ツール] の [レイアウト] タブを選択
 [計算式] をクリック

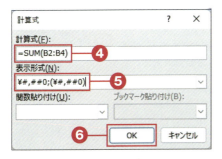

 「=SUM(B2:B4)」と入力
 表示形式を選択
 [OK] をクリック

 手順2 引数にセル範囲を指定する

[計算式] に「=SUM(B2:B4)」と入力し、目的の表示形式を選択して、[OK] をクリックすると計算が実行されます。

 メモ 引数をセル範囲で指定する

　Wordの計算式でも、Excelと同様にセル範囲を引数に指定することができます。セルの名前は、左端列を「A」、最上行を「1」として、目的の行、列の交点を「C3」のようにあらわします。連続したセル範囲を引数にする場合は、先頭のセル名と末尾のセル名を「:（コロン）」で区切ります。また、複数のセルを記述する場合は「A3,A8」のように「,（カンマ）」で区切ります。

(計算結果が表示されます)
(同様に他のセルにも計算式を入力して計算結果を表示します)

## 平均値を算出してみよう

❶ 計算式を記述するセルをクリック
❷ [表ツール] の [レイアウト] タブを選択
❸ [計算式] をクリック

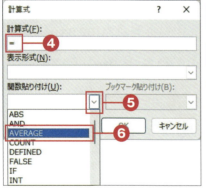

❹ [計算式] に「=」を入力
❺ [関数貼り付け] の ⌄ をクリック
❻ [AVERAGE] を選択

### 手順1 [計算式] ダイアログボックスを表示する

計算式を記述するセルをクリックし、[表ツール] の [レイアウト] タブを選択して、[計算式] をクリックし [計算式] ダイアログボックスを表示します。

### 手順2 「AVERAGE」を貼り付ける

[計算式] に「=」を入力し、[関数貼り付け] の ⌄ をクリックして、「AVERAGE」を選択すると、計算式に「AVEREAGE( )」が自動入力されます。

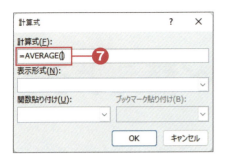
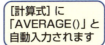
[計算式]に
「AVERAGE()」と
自動入力されます

❼ かっこの間を
クリック

### 手順 3 カーソルを挿入する

「( )」の間をクリックしてカーソルを表示します。

❽ かっこの間に
「LEFT」と入力
❾ 表示形式を選択
❿ [OK]をクリック

### 手順 4 引数に「LEFT」を指定する

「( )」の間に「LEFT」を記述し、[表示形式]を選択して、[OK]をクリックします。

計算結果が表示されます

 **利用できる関数**

[計算式]ダイアログボックスには、あらかじめ18種類の関数が用意されています。関数の内容を確認して、必要な関数を覚えておきましょう。

| | |
|---|---|
| ABS | 値の絶対値を計算します。 |
| AND | すべてTRUEであるかどうかを評価します。 |
| AVERAGE | 指定された項目の平均値を計算します。 |
| COUNT | 値の数をカウントします。 |
| DEFINED | 引数が定義されているかどうかを評価します。 |
| FALSE | 常に0を返します。 |
| IF | 最初の引数を評価します。 |
| INT | 小数部を切り捨てて、最も近い整数にします。 |
| MAX | 最大値を返します。 |
| MIN | 最小値を返します。 |
| MOD | 引数1/引数2の剰余を返します。 |
| NOT | 引数がTRUEかどうかを評価します。 |
| OR | いずれかがTRUEかどうか評価します。 |
| PRODUCT | 積を計算します。 |
| ROUND | 指定した桁数で四捨五入します。 |
| SIGN | 0よりも大きいか、0に等しいか、0よりも小さいかを評価します。 |
| SUM | 合計値を計算します。 |
| TRUE | 1つの引数がTrueかどうか評価します。 |

SECTION **キーワード ▶ データの並べ替え**　　サンプル番号　06sec60

# 60 表のデータを並べ替えよう

Wordの表のデータは、昇順、降順に並べ替えることができます。表のデータは並べ替えることで、データの見方を変えたり、別の傾向を確認したりすることができます。表のデータを並べ替えて、データをさまざまな方向から検証してみましょう。

## 表全体のデータを並べ替える

合計点を降順に並べ、同点の場合はフリガナの昇順に並ぶように設定します

❶ 任意のセルをクリック
❷ [表ツール] の [レイアウト] を選択
❸ [並べ替え] をクリック

❹ [タイトル行] で [あり] を選択
❺ [合計点]、[数値]、[降順] を選択
❻ [フリガナ]、[JISコード]、[昇順] を選択
❼ [OK] をクリック

**手順1** [並べ替え] ダイアログボックスを表示する

任意のセルをクリックし、[表ツール] の [レイアウト] タブを選択して、[並べ替え] をクリックすると、[並べ替え] ダイアログボックスが表示されます。

**手順2** 並べ替えの条件を設定する

[タイトル行] で [あり] を選択し、[最優先されるキー] に [合計点]、[数値]、[降順] を選択して、[2番目に優先されるキー] に [フリガナ]、[JISコード]、[昇順] を選択し、[OK] をクリックします。

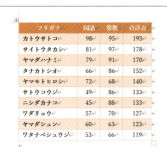

合計点が降順で、同点の場合はフリガナの昇順で並び替えられています

## 表の一部のデータを並べ替える

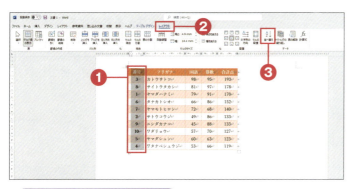

[番号] のみ昇順に並び替えます
① 任意のセルをクリック
② [表ツール] の [レイアウト] を選択
③ [並べ替え] をクリック

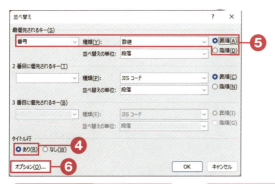

④ [タイトル行] で [あり] を選択
⑤ [番号]、[数値]、[昇順] を選択
⑥ [オプション] をクリック

### 手順1 [並べ替え] ダイアログボックスを表示する

[番号] の列を選択し、[表ツール] の [レイアウト] タブを選択して、[並べ替え] をクリックすると、[並べ替え] ダイアログボックスが表示されます。

### 手順2 並べ替えの条件を設定する

[タイトル行] で [あり] を選択し、[最優先されるキー] に [番号]、[数値]、[昇順] を選択して、[オプション] をクリックし、[並べ替えオプション] ダイアログボックスを表示します。

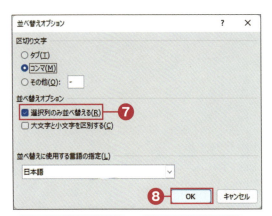

 [選択列のみ並べ替える] をオンにする

 [OK] をクリック

 [OK] をクリック

[番号] だけが昇順で並び替えられました

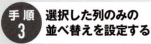

## 手順3 選択した列のみの並べ替えを設定する

[選択列のみ並べ替える] をオンにし、[OK] をクリックします。

## 手順4 並べ替えを実行する

[並べ替え] ダイアログボックスに戻るので、[OK] をクリックして並べ替えを実行します。

SECTION キーワード ▶ Excelとの連携　　サンプル番号　06sec61

# 61 Excelの表を Wordで活用しよう

Excelの表をWordの文書に貼り付ける方法には、Excelでの書式のまま貼り付ける、Excelとのリンクを保持したまま貼り付けるなど、いくつかの方法があります。Wordの書類の内容や目的に合った方法で、Excelの表をWordで活用してみましょう。

## Excelの表をそのままWordに貼り付ける

**手順1　Excelの表をコピーする**

Excelで目的の表を選択し、[ホーム] タブを選択して、[コピー] をクリックし表をコピーします。

④ Word文書を表示　⑤ 表を挿入する位置をクリック
⑥ [ホーム] タブを選択　⑦ [貼り付け] の 貼り付け をクリック
⑧ [元の書式を保持] を選択

**手順2　Excelの書式を保持したまま貼り付ける**

表を貼り付ける位置をクリックし、[ホーム] タブを選択して、[貼り付け] の 貼り付け をクリックすると表示される [貼り付けのオプション] で [元の書式を保持] を選択します。

Excel上で設定されている書式がそのまま反映された表が貼り付けられます

### メモ 挿入された表を削除するには

Wordの文書に貼り付けられたExcelの表を削除するには、表の左上隅にマウスポインタを合わせると表示される⊞をクリックして、表全体を選択し、キーボードで[Backspace]キーを押します。なお、表全体が選択されている状態で[Delete]キーを押すと、表内のデータだけが削除され、表組は残されます。

## Excelの表を画像として貼り付ける

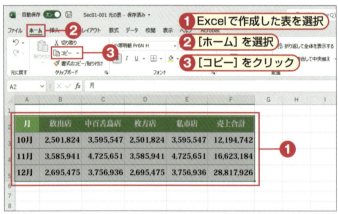

① Excelで作成した表を選択
② [ホーム]を選択
③ [コピー]をクリック

### 手順1 Excelの表をコピーする

Excelで目的の表を選択し、[ホーム]タブを選択して、[コピー]をクリックし表をコピーします。

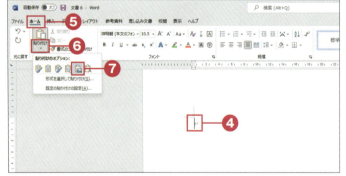

④ Wordで表を挿入する位置をクリック
⑤ [ホーム]タブを選択
⑥ [貼り付け]の 貼り付け をクリック
⑦ [図]をクリック

### 手順2 Excelの表を図として貼り付ける

表を貼り付ける位置をクリックし、[ホーム]タブを選択して、[貼り付け]の 貼り付け をクリックすると表示される[貼り付けのオプション]で[図]を選択します。

### メモ 表を画像として貼り付けるメリット

書類を取引先などにデータで渡す必要がある場合は、表を画像として貼り付けておくとよいでしょう。画像として貼り付けられた表では、値を書き換えたり、追加・削除したりすることができません。また、コピーして値を使うこともできないため、情報の漏えいを防ぐことになります。

## Excelの表とWordの表の関連付けて貼り付ける

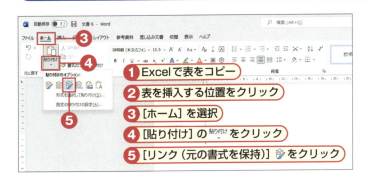

 **手順1** Excelの表を図として貼り付ける

まず、Excelで表をコピーし、Wordの画面に切り替えます。次に、表を貼り付ける位置をクリックし、[ホーム] タブを選択して、[貼り付け] の  をクリックすると表示される [貼り付けのオプション] で [リンク (元の書式を保持)]  を選択します。

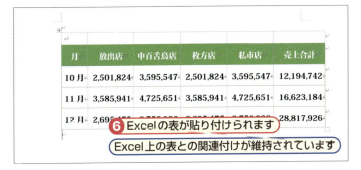

 **手順2** Excelの表が貼り付けられた

Excelの表が貼り付けられます。

 **手順3** 表のデータを更新する

表の任意のセルをクリックし、左上に表示される田を右クリックして、ショートカットメニューで [リンク先の更新] を選択すると、表のデータが更新されます。

SECTION  キーワード▶グラフの作成  サンプル番号 06sec62

# 62 グラフを作成しよう

手順解説動画

Wordでは、Excelの表をもとにしたグラフを簡単な操作で作成できます。書類にグラフを挿入すると、数値を追わなくても、その傾向や推移をわかりやすく示せて便利です。また、グラフで示されていることを解説すればいいため、書類を簡潔にする効果もあります。

## グラフの構成を覚えておこう

グラフを扱う場合、「データ系列」や「プロットエリア」などグラフの各部名称が操作の中で頻繁に出てきます。グラフの各部名称をきちんと理解していないと、間違った編集や設定を行いかねません。グラフの各部名称はしっかり覚えておくとよいでしょう。

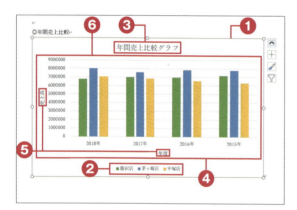

❶ グラフエリア
グラフ全体の領域のことで、グラフの移動や削除の際に選択します。

❷ 凡例
グラフ系列のタイトルのことで、データの内容を示しています。

❸ タイトル
グラフのタイトルです。

❹ プロットエリア
グラフそのものが表示されている領域のことです。

❺ 軸ラベル
グラフの軸のラベルです。

❻ データ系列
グラフで示されているデータのことです。

## グラフを作成する

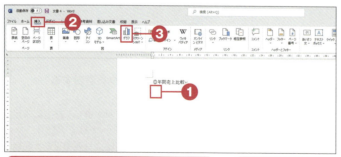

**手順1** [グラフの挿入]ダイアログボックスを表示する

グラフを挿入する位置をクリックしてカーソルを表示し、[挿入]タブを選択して、[グラフ]をクリックし、[グラフの挿入]ダイアログボックスを表示します。

❶ グラフを挿入する位置にカーソルを挿入
❷ [挿入]を選択
❸ [グラフ]をクリック

202

### 手順2 グラフの種類を選択する

左の一覧でグラフの種類を選択し、表示される画面でグラフのスタイルを選択して[OK]をクリックします。

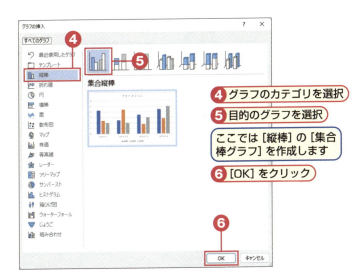

❹ グラフのカテゴリを選択
❺ 目的のグラフを選択
ここでは[縦棒]の[集合棒グラフ]を作成します
❻ [OK]をクリック

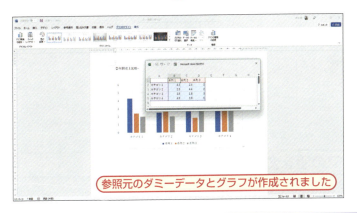

参照元のダミーデータとグラフが作成されました

### メモ グラフを利用するメリット

グラフを利用すると、表では数値を追わなければわからないデータの傾向や特徴が一目でわかるようになります。口頭で説明すると長くなってしまうような、比較や推移などのポイントを視覚的に示すことができます。文書にグラフを挿入して、会議や打ち合わせの効率を上げてみましょう。

## グラフのデータを入力する

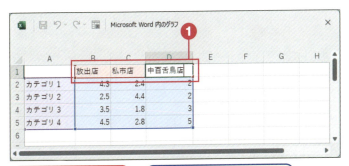

❶ [系列1]〜[系列3]にデータを入力
[系列]のセルには、比較の対象となる項目を入力します

### 手順1 系列のデータを入力する

グラフ作成時に表示されるExcel画面で、ダミーで入力されている系列のデータを書き換えます。

### メモ データを差し替える

文書内にグラフを作成したら、表示されたExcelのダミーデータを、必要なデータに書き換えていきます。[系列]には比較の対象となる項目を、[分類]には比較の単位となる項目を入力します。

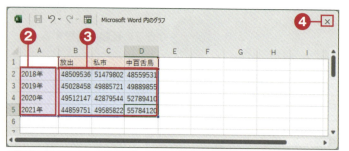

 **データを書き換える**

カテゴリの項目とグラフの基になるデータを入力するとグラフに数値が反映されます。

② [カテゴリ1]～[カテゴリ4]のデータを入力

③ グラフの対象となるデータを入力

④ [閉じる]をクリック

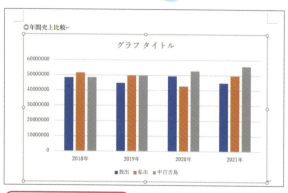

グラフが挿入されました

**メモ グラフのタイトルを入力する**

グラフのタイトルを変更するには、[グラフタイトル]をクリックすると、編集可能な状態になるので、目的のタイトルに入力し直し、欄外の任意の位置をクリックします。

## グラフの値を変更する

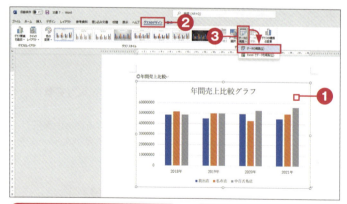

 **データの編集画面を表示する**

グラフの任意の位置をクリックし、[グラフツール]の[グラフのデザイン]タブを選択して、[データの編集]→[データの編集]をクリックし、Excelのデータの編集画面を表示します。

① グラフの任意の位置をクリック

② [グラフツール]の[グラフのデザイン]タブを選択

③ [データの編集]→[データの編集]を選択

## 手順2 データを編集する

Excelのデータの編集画面でデータを書き換えると、変更がグラフに反映されます。

- Excel画面に、グラフのデータが表示されます
- ❹ 目的のデータを編集
- ❺ キーボードの [Enter] キーを押す
- データの変更が確定しグラフに反映されます

## グラフの参照範囲を変更する

### 手順1 データの編集画面を表示する

グラフの任意の位置をクリックし、[グラフツール] の [グラフのデザイン] タブを選択して、[データの選択] をクリックし、Excel画面と [データソースの選択] ダイアログボックスを表示します。

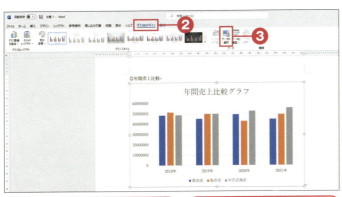

- ❶ グラフの任意の位置をクリック
- ❷ [グラフツール] の [グラフのデザイン] タブを選択
- ❸ [データの選択] をクリック

### メモ データの範囲を変更する

「1年のデータから第二四半期に絞り込んだグラフを表示したい」など、既存のデータから特定の範囲に絞り込みたい場合は、[グラフツール] の [グラフのデザイン] タブで [データの選択] ボタンをクリックし、Excelのデータ編集画面上で表示するデータの範囲を指定し直します。

### 手順2 グラフのデータの範囲を確認する

グラフに表示されているデータの範囲が、Excelのデータ編集画面上に点線で囲まれているので確認します。

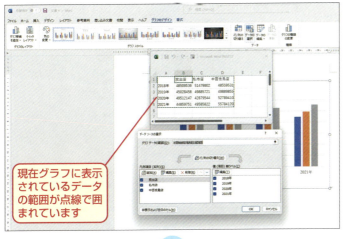

- 現在グラフに表示されているデータの範囲が点線で囲まれています

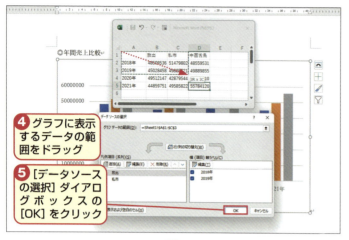

**4** グラフに表示するデータの範囲をドラッグ

**5** [データソースの選択] ダイアログボックスの [OK] をクリック

### 手順3 グラフのデータの範囲を変更する

Excelのデータ編集画面で、グラフに表示するデータの範囲をドラッグして変更し、[データソースの選択] ダイアログボックスの [OK] をクリックします。

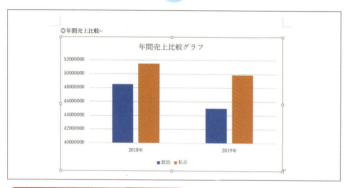

グラフの参照範囲が変更されました

## メモ 表示させるデータを絞り込むには

「7月と9月のデータだけをグラフに表示する」など、グラフに表示させるデータを絞り込むには、[グラフフィルター] ボタン  をクリックし、系列と分類の項目一覧で表示させる項目のみをクリックしてオンにし、[適用] ボタンをクリックします。

**1** [グラフフィルター] ボタン  をクリック
**2** [値] を選択
**3** 表示する項目のみをオンにする
**4** [適用] をクリック

グラフに表示する値が絞り込まれます

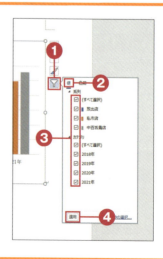

SECTION　キーワード ▶ グラフデザインの変更　　サンプル番号　06sec63

# 63 グラフのデザインを変更する

手順解説動画

グラフに表示する要素の組み合わせやデザインは、変更できます。グラフの内容に合わせて、デザインを変更することで、その内容をイメージしやすくなる効果があります。プレゼンテーションや資料にグラフを挿入する際には、効果のあるデザインを考えましょう。

## グラフのレイアウトを変更する

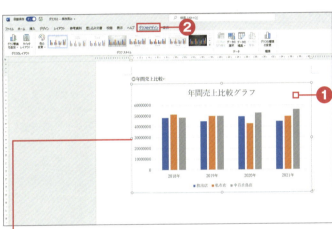

❶ グラフを選択　　❷ [グラフツール] の [グラフのデザイン] タブを選択

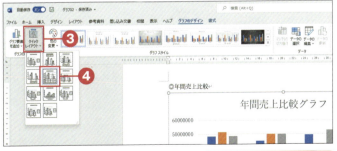

❸ [クイックレイアウト] をクリック　　❹ 目的のレイアウトを選択

### 手順1　[グラフのデザイン] リボンを表示する

グラフの任意の位置をクリックし、[グラフツール] の [グラフのデザイン] タブを選択し、[グラフのデザイン] リボンを表示します。

### メモ　グラフのデザインを変更しよう

グラフには、軸ラベルやデータラベル、凡例、表などのグラフ要素がバランスよく組み合わされたレイアウトが用意されています。また、見ばえの良い配色のセットもあります。目的やグラフの内容に合わせて、デザインを変更してわかりやすいグラフにしてみましょう。

### 手順2　グラフのレイアウトを変更する

[クイックレイアウト] をクリックし、表示されるレイアウトの一覧で目的のレイアウトを選択します。

207

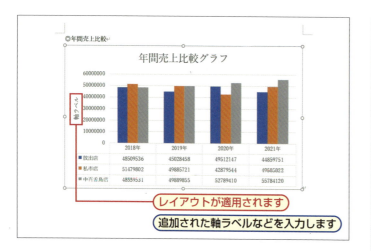

レイアウトが適用されます
追加された軸ラベルなどを入力します

## グラフのスタイルを変更する

❶ グラフを選択　❷ [グラフスタイル]  をクリック
グラフスタイルの一覧が表示されます

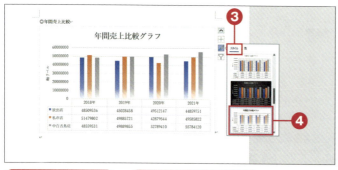

❸ [スタイル] を選択　❹ 目的のスタイルを選択
スタイルが適用されました

### 手順1　グラフスタイルの一覧を表示する

グラフの任意の位置をクリックし、グラフの右上に表示される [グラフスタイル]  をクリックしてグラフスタイルの一覧を表示します。

### 手順2　グラフスタイルを変更する

表示されたグラフスタイルの一覧で、目的のスタイルを選択すると、グラフにスタイルが適用されます。

# グラフの種類を変更する

**手順1** [グラフの種類の変更] ダイアログボックスを表示する

グラフの任意の位置をクリックし、[グラフツール] の [グラフのデザイン] タブを選択して、[グラフの種類の変更] をクリックし、[グラフの種類の変更] ダイアログボックスを表示します。

1 グラフを選択
2 [グラフツール] の [グラフのデザイン] タブを選択
3 [グラフの種類の変更] をクリック

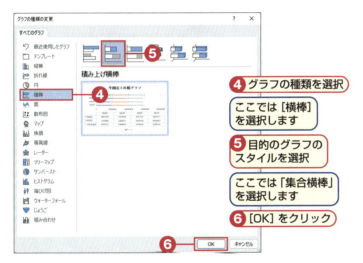

**手順2** グラフの種類を変更する

左の一覧でグラフの種類を選択し、目的のグラフスタイルを選択して、[OK] をクリックします。なお、ここでは [横棒] グラフの [積み上げ横棒] グラフを選択します。

4 グラフの種類を選択
ここでは [横棒] を選択します
5 目的のグラフのスタイルを選択
ここでは「集合横棒」を選択します
6 [OK] をクリック

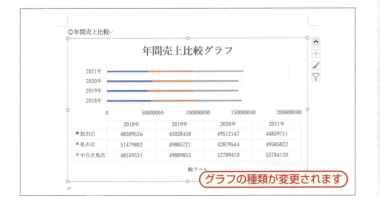

グラフの種類が変更されます

## グラフ要素の表示／非表示を切り替える

① [グラフ要素]  をクリック

### 手順1 グラフ要素の一覧を表示する

グラフの任意の位置をクリックし、グラフの右上に表示される [グラフ要素]  をクリックして [グラフ要素] の一覧を表示します。

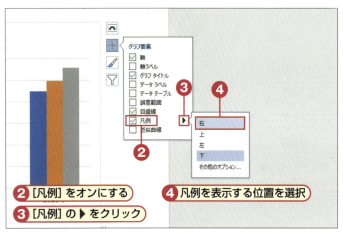

② [凡例] をオンにする
③ [凡例] の ▶ をクリック
④ 凡例を表示する位置を選択

### 手順2 表示するグラフ要素を指定する

[凡例] にマウスポインタを合わせ、表示される ▶ をクリックして、凡例を表示する位置を選択すると、凡例の表示位置が変更されます。

目盛線が非表示になり、凡例が右に表示されます

# 7章

## 図形を利用してわかりやすい文書を作成しよう

物事の様子や情景を言葉で表すと、文章が長くなってしまい、読み手にも飽きられがちです。特に報告やレポートなどの文書では、可能な限り文章は簡潔にすることが求められます。そんなときに効果を発揮するのが図です。図は、関係性や順序を言葉よりも端的に説明してくれます。図を適切に利用して、効率的に説明できる文書を作りましょう。

SECTION キーワード▶描画キャンパスの作成　　サンプル番号　07sec64

# 64 地図を描くための領域を挿入する

手順解説動画

地図など、複数の図形を組み合わせて1つの図を作成する場合は、描画キャンバスを利用すると便利です。描画キャンバスを利用すると、キャンバス内に描かれた複数の図形を一度の操作で移動したり変更したりすることができます。

## 描画キャンバスとは

「描画キャンバス」は、図形を描くことができる領域で、描画キャンバスに描かれた図形をまとめて設定したり移動したりできます。また、描画キャンバスのサイズを変更すると、キャンバス内の図形も同時にサイズが変更され、描画キャンバスを削除すると、図形もすべて削除されます。

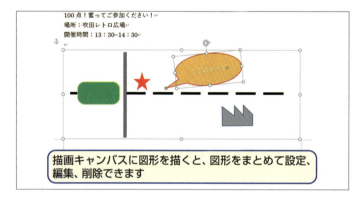

## 描画キャンバスを挿入する

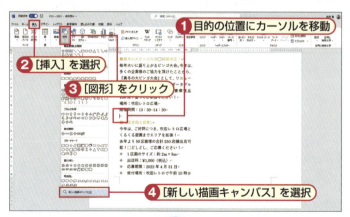

**手順1** 描画キャンバスを挿入する

描画キャンバスを挿入する位置にカーソルを挿入し、[挿入]タブを選択して、[図形]→[新しい描画キャンバス]を選択します。

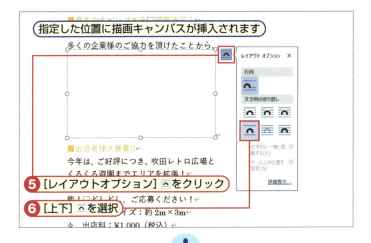

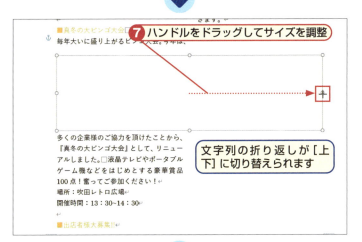

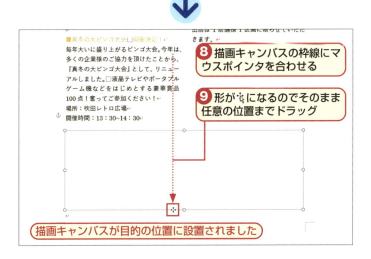

### 手順 2　文字列の折り返しを変更する

描画キャンバスが挿入されるので、右上にある［レイアウトオプション］をクリックし、［上下］を選択します。

### 便利技　文字列の折り返しを変更する

Wordの初期設定では、描画キャンバスや画像、図形を挿入するとレイアウトが大きく崩れてしまうことがあります。この場合、文字列の折り返しを［上下］や［四角形］に変更すると、比較的挿入による影響を抑えてレイアウトを整えられます。

### 手順 3　描画キャンバスのサイズを調整

ハンドル○にマウスポインタを合わせ、形がになった状態でドラッグして、描画キャンバスのサイズを調整します。

### 手順 4　描画キャンバスを移動する

描画キャンバスの枠にマウスポインタを合わせると、形がになるので、目的の位置までドラッグし、描画キャンバスを移動します。

### 裏技　描画キャンバスのサイズを変更する

描画キャンバスのサイズを変更するには、描画キャンバスの四隅のいずれかのハンドル○を、任意のサイズになるまでドラッグします。また、縦または横のみのサイズを変更したい場合は、四辺の中央のハンドル○を任意のサイズになるまでドラッグします。

SECTION キーワード▶図形の描画　サンプル番号　07sec65

# 65 簡単な図形を描いてみよう

Wordには、直線や四角形など、図形の種類を選択して、ドラッグするだけで図形を描ける機能が用意されています。ハートや吹き出しなど複雑な図形もあるので、図形を組み合わせて地図や工程表などの図を作成できます。

## 直線を引く

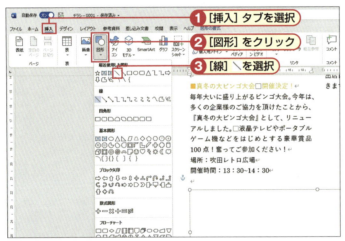

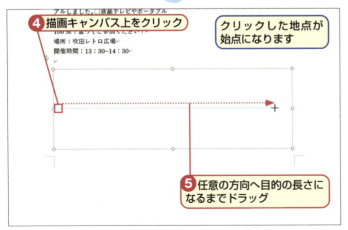

 **図形の一覧で［線］を選択する**

［挿入］タブを選択し、［図形］をクリックして［線］を選択します。

**メモ　図形を描く**

［挿入］タブの［図形］ボタンには、8つのカテゴリに161種類の図形が用意されています。図形の種類を選んで、ドラッグすれば目的の図形を簡単に描けます。また、図形は、ハンドルをドラッグして拡大/縮小したり、ドラッグ操作で移動したりすることもできます。図形を挿入して、わかりやすい図を作ってみましょう。

 **線を描く**

描画キャンバス内をクリックし、そのまま目的の方向に、必要な長さになるまでドラッグすると、線が描かれます。

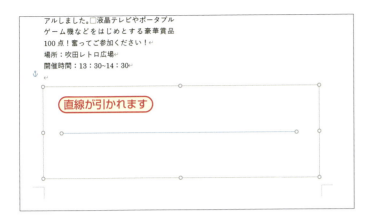

## 四角形を描く

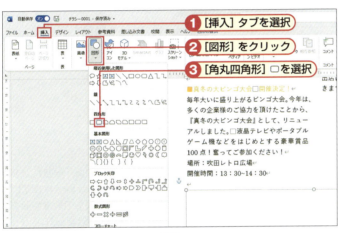

 **便利技 図形の大きさを変更する**

図形の大きさを変更するには、描いた図形を選択すると、線の場合は始点と終点に、図形の場合は頂点や辺の中央にハンドル○が表示されるので、ハンドル○を任意の大きさになるまでドラッグします。

 **手順1 図形の一覧で［角丸四角形］を選択する**

［挿入］タブを選択し、［図形］をクリックして［角丸四角形］を選択します。

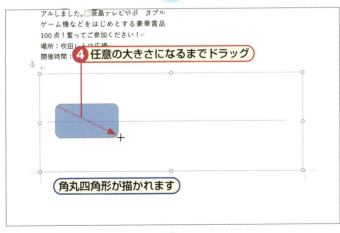

 **手順2 角丸四角形を描く**

描画キャンバス内をクリックし、そのままドラッグすると角丸四角形が描かれます。

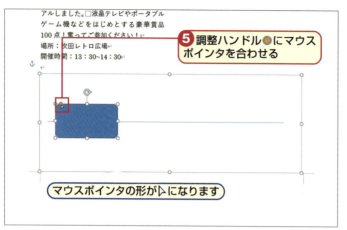

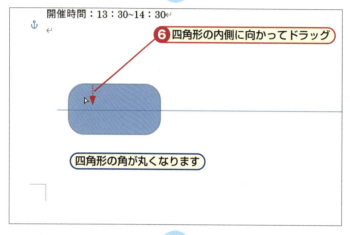

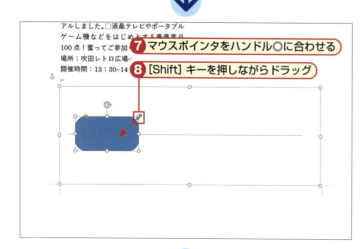

### 手順3　調整ハンドルをドラッグする

調整ハンドル（黄色いハンドル）●にマウスポインタを合わせると形が になるので、そのまま四角形の内側に向かってドラッグします。

### 手順4　角の丸さを調整する

調整ハンドルを内側に向かってドラッグすると、角丸四角形の角が丸くなるので、適切な丸さでドラッグを止めます。

### 便利技　形を微調整する

角丸四角形や吹き出しには、「調整ハンドル（黄色いハンドル）」●が表示されています。調整ハンドルは、図形の角度や形を整えられるハンドルで、確認しながらドラッグして形を整えます。

### 手順5　図形のサイズを調節する

図形の四隅のいずれかのハンドル○にマウスポインタを合わせ、形が になった状態で、キーボードで[Shift]キーを押しながらドラッグします。

### 便利技　縦横比を変えずにサイズを調整する

図形の縦横比を変えずに拡大・縮小したい場合は、キーボードで[Shift]キーを押しながら、図形の四隅のハンドル○をドラッグします。なお、辺の中央にあるハンドル○を[Shift]キーを押しながらドラッグしても、縦横比は保持されません。

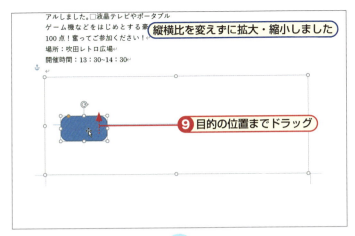

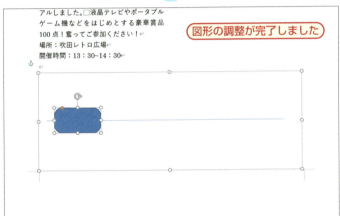

### 手順6 図形を移動する

図形にマウスポインタを合わせ、目的の位置までドラッグします。

### メモ 図形を移動する

図形を移動するには、図形にマウスポインタを合わせると、形が になるので、そのまま任意の位置までドラッグします。

### メモ 正方形・正円を描く

正円を描くには、正方形を描くには、[図形] ボタンのリストで [正方形/長方形] □ を選択し、[Shift] キーを押しながらドラッグします。正円を描く場合も、リストで [楕円] ○ を選択し、[Shift] キーを押しながらドラッグします。

正円を描くには、図形の種類に [楕円] を選択し、[Shift] キーを押しながらドラッグします

SECTION キーワード▶複雑な図形の作成　　サンプル番号　07sec66

# 66 複雑な図形を描いてみよう

手順解説動画

[図形]の一覧で[フリーフォーム]を選択すると、クリック操作で簡単に複雑な図形を描くことができます。また、頂点の編集方法を知っておくと既存の図形を変形できます。オリジナルの図形を自由に描いてみましょう。

## フリーフォームで図形を描こう

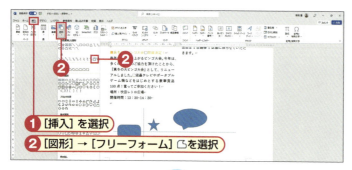

① [挿入]を選択
② [図形]→[フリーフォーム] を選択

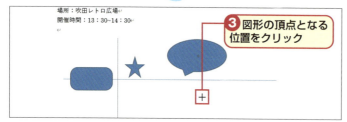

③ 図形の頂点となる位置をクリック

### 手順1 [フリーフォーム]を選択する

[挿入]タブを選択し、[図形]をクリックして、[フリーフォーム]を選択します。

### 便利技 複雑な図形を描く

複雑な形の図形を描くには、[図形]の一覧にある[フリーフォーム]を利用します。[フリーフォーム]では、頂点となる位置をクリックし、始点となる位置まで戻ってきたら、始点をクリックし線を閉じて図形を完成させます。

### 手順2 起点となる位置をクリックする

描画キャンバス上の図形の起点となる位置をクリックします。

### 裏技 後から頂点の位置を編集するには

[フリーフォーム]で描いた図形の頂点を後から編集するには、目的の図形を選択し、[図形の書式]タブを選択し、[図形の編集]ボタンをクリックして、[頂点の編集]を選択すると、図形の頂点が編集可能な状態になるので、目的の頂点をドラッグして位置を調節します。また、頂点を削除したい場合は、頂点を編集可能な状態にし、目的の頂点を右クリックして[頂点の削除]を選択します。なお、頂点の編集を終了する場合は、図形以外の位置をクリックします。

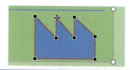

[図形の編集]ボタン→[頂点の編集]を選択し、目的の頂点をドラッグして頂点の位置を調節します

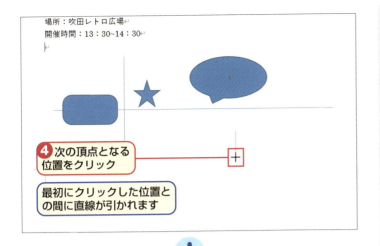

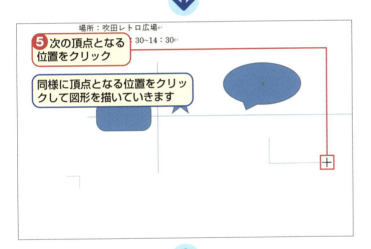

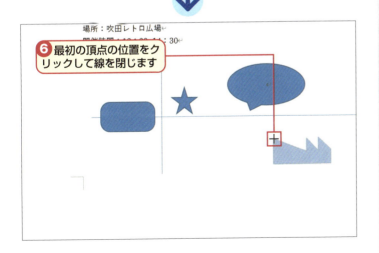

 **手順3** 次の頂点の位置をクリックする

次の頂点となる位置をクリックすると、起点からその位置までの線が引かれます。

**メモ フリーハンドで図形を描く**

フリーハンドで図形を描くには、[図形]ボタンの一覧で[フリーハンド]を選択し、マウスの左ボタンを押したまま図形を描き、書き始めた位置でボタンから指を離します。

 **手順4** 頂点の位置を順番にクリックする

同様に頂点となる位置を順番にクリックして図形を描いていきます。

 **手順5** 起点をクリックして図形を閉じる

起点まで戻ってきたら、起点を再度クリックして、図形を閉じます。

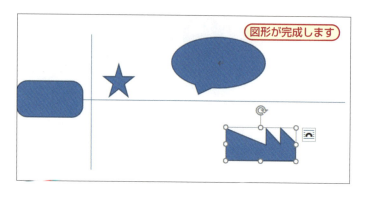

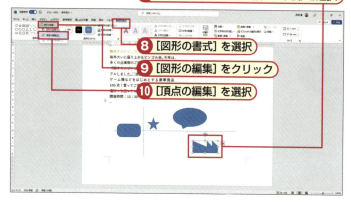

### 手順6 頂点を編集可能な状態にする

［図形の書式］タブを選択し、［図形の編集］をクリックして、［頂点の編集］をクリックし、図形の頂点を編集可能な状態にします。

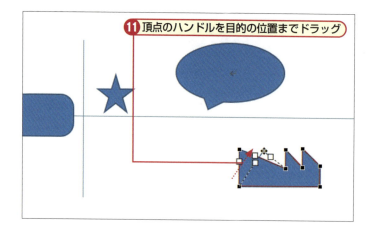

### 手順7 図形の頂点を編集する

図形の頂点にマウスポインタを合わせ、目的の位置までドラッグします。

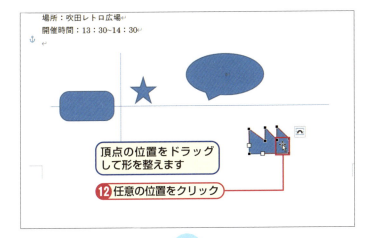

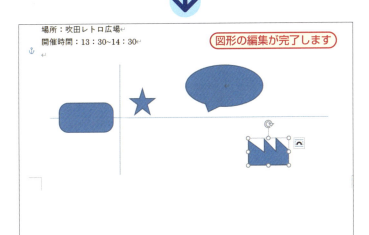

 **手順8** 図形の編集を終了する

他の頂点も同様の手順で移動し、任意の位置をクリックして編集を終了します。

 **便利技** 頂点を追加する・削除する

図形の頂点を追加したいときは、左の手順に従って頂点を編集できる状態にし、頂点を追加したい位置を右クリックして、[頂点の追加]を選択します。頂点を削除するには、同様に頂点を編集する状態にして、目的の頂点を右クリックし[頂点の削除]を選択します。

 **メモ** 図形を差し替える

図形を別の図形に差し替えたいときは、目的の図形を選択し、[図形の書式]タブを選択して、[図形の編集]をクリックし[図形の変更]をクリックすると、図形の一覧が表示されるので、目的の図形を選択します。

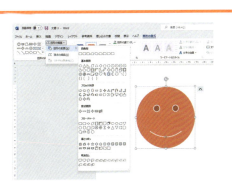

[図形の編集]をクリックして、[図形の変更]をクリックすると表示される一覧で目的の図形を選択します。

SECTION  キーワード▶図形の編集  サンプル番号 07sec67

# 図形を編集しよう

図形は、後から色を変更したり、枠線の太さや種類を変更したりして、編集することができます。また、文字を入力することもできます。図形を適切なサイズ、色に編集し、文字を入力してわかりやすい図を作成してみましょう。

## 線の太さと種類を変更する

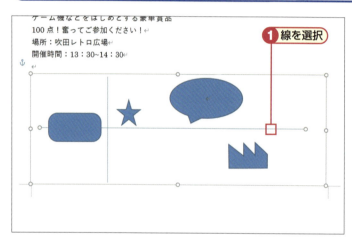

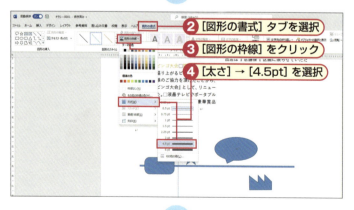

 **手順1** 線を選択する

目的の線をクリックして選択します。

 **線の太さや種類を変更する**

図形の枠線や直線、曲線は、[図形の書式] タブにある [図形の枠線] ボタンをクリックすると表示されるメニューで、線の太さや種類、色などを変更できます。複数の線に同じ変更を適用したいときは、キーボードで [Ctrl] キーを押しながら、目的の線すべてをクリックして選択し、線の太さや種類を変更します。

 **手順2** 線の太さを変更する

[図形の書式] タブを選択し、[図形の枠線] をクリックして、[太さ] をクリックすると表示される一覧で目的の太さを選択します。

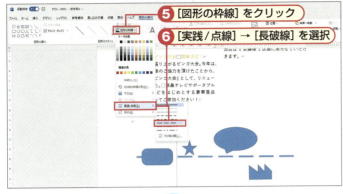

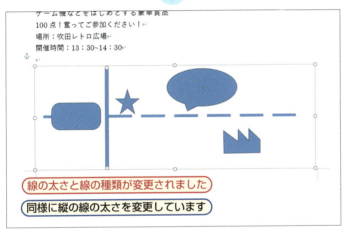

###  線の種類を変更する

[図形の枠線]をクリックして、[実線/点線]をクリックすると表示される一覧で目的の線の種類を選択します。

###  図の線を手書き風に変換する

Word 2021では、図形の線を手書き風に切り替えることで、親しみやすさを演出できるようになりました。図形の線を手書き風に切り替えるには、目的の図を選択し、[図形の書式]タブを選択して、[図形の枠線]をクリックすると表示されるメニューで[スケッチ]を選択し目的のスタイルを選択します。

## 図の色と枠線の色を変更する

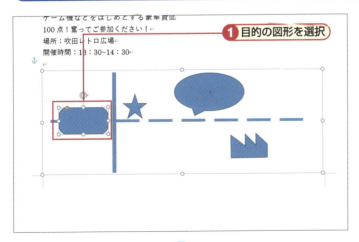

###  図形を選択する

目的の図形をクリックして選択します。

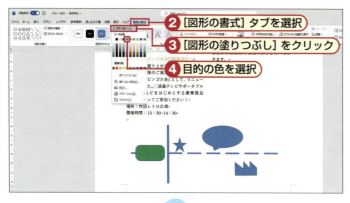

 図形の色を変更する

［図形の書式］タブを選択し、［図形の塗りつぶし］をクリックすると表示されるパレットで目的の色を選択します。

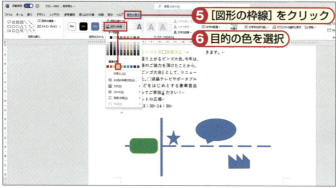

 線の色を変更する

［図形の枠線］をクリックすると表示されるパレットで線の色を選択します。

 図形の色を削除する

図形の塗りつぶしの色を削除するには、目的の図形を選択し、［図形の書式］タブにある［図形の塗りつぶし］ボタンをクリックすると表示される一覧から［塗りつぶしなし］を選択します。

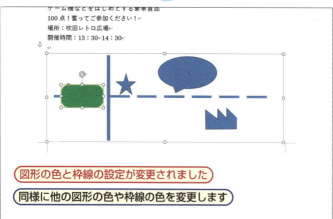

# 吹き出しに文字を入力する

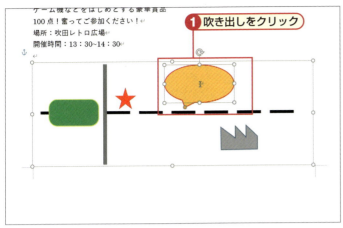

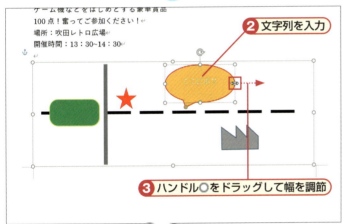

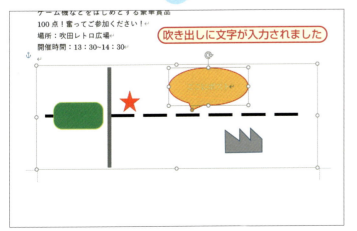

 **手順1　吹き出しを選択する**

吹き出しをクリックして選択します。

 **図形に文字を入力する**

［図形］ボタンを利用して描かれた、線以外の図形には、文字を入力できます。図形に文字を入力するには、図形をクリックすると、カーソルが挿入され入力可能な状態になるので、そのまま目的の文字列を入力します。

 **手順2　吹き出しに入力する**

吹き出しが選択された状態で入力を開始すると、カーソルが表示され、文字が入力されます。文字が吹き出しに入りきらない場合は、ハンドル○をドラッグして幅や高さを調節します。

## 吹き出しを微調整する

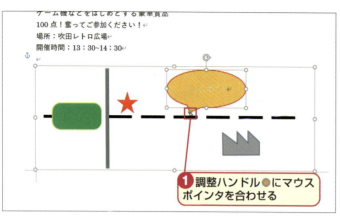

| 手順1 | 調整ハンドルにマウスポインタを合わせる |

吹き出しの先端に表示されている調整ハンドル（黄色いハンドル）にマウスポインタを合わせます。

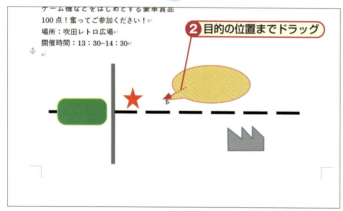

| 手順2 | 吹き出しの方向と長さを調整する |

調整ハンドルをドラッグして、吹き出しの方向と長さを調整します。

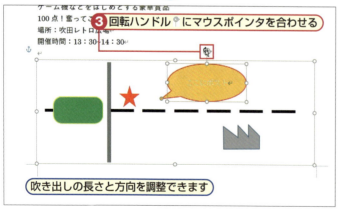

| 手順3 | 吹き出しを回転する |

上辺の中央に表示されている回転ハンドルにマウスポインタを合わせます。

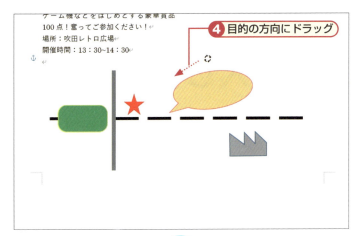

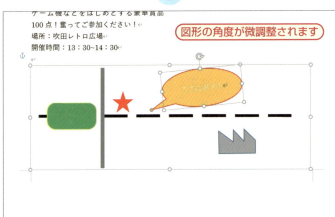

## 手順 4　回転ハンドルをドラッグする

回転ハンドルを目的の方向に必要な角度だけドラッグし、吹き出しを回転させます。

### メモ　図形を反転させるには

図形を反転させるには、目的の図形を選択し、[図形の書式]タブを選択して、[回転]をクリックすると表示されるメニューで[上下反転]または[左右反転]を選択します。

### 裏技　図形の角度を調整する

図形を回転させて角度を調整したい場合は、図形の上辺中央にある「回転ハンドル」をドラッグします。回転ハンドルを傾けたい方向に必要な角度だけドラッグすると、図形の中央を軸に回転し角度を調整できます。なお、キーボードで[Shift]キーを押しながら回転ハンドルをドラッグすると、図形を15度ずつ回転させることができます。

###  図形をグループ化しよう

　地図のように複数の図形を組み合わせ、それらを常にワンセットで扱う場合は、図形をグループ化しておくと便利です。図形をグループ化すると、レイアウトを崩さず移動したり、一度の操作ですべての図形のサイズを変更したりできます。図形をグループ化するには、キーボードで[Ctrl]キーを押しながら必要な図形すべてをクリックして選択し、選択した図形のいずれかを右クリックして、ショートカットメニューで[グループ化]→[グループ化]を選択します。

選択された図形を右クリックし、[グループ化]→[グループ化]を選択します。

SECTION キーワード▶アイコンの挿入　　サンプル番号　07sec68

# 68 アイコンを挿入しよう

手順解説動画

地図に「〒」と表示されていると郵便局と分かるように、アイコンは特定の場所や物などを視覚的に伝えることができます。文書の中にアイコンを適切に挿入すると、ひとめで分かりやすく伝えられるだけでなく、文字による説明を省くこともできて便利です。

## アイコンを挿入しよう

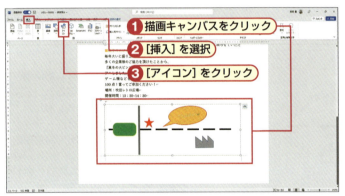

### 手順1 アイコンの選択画面を表示する

描画キャンバスをクリックし、[挿入] タブを選択して、[アイコン] をクリックしてアイコンの選択画面を表示します。

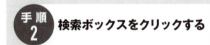

### 手順2 検索ボックスをクリックする

検索ボックスをクリックします。

 **アイコンの色を変更するには**

アイコンの色を変更するには、アイコンを選択し、[グラフィックス形式] タブを選択して、[グラフィックスの塗りつぶし] をクリックすると表示されるパレットで目的の色を選択します。

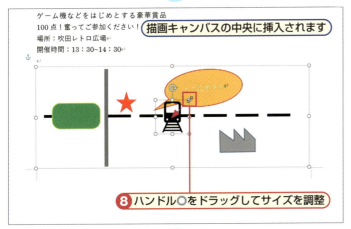

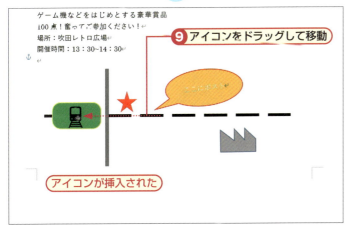

 **アイコンを挿入する**

キーワードを入力すると該当するアイコンが表示されるので、目的のアイコンをオンにして、[挿入]をクリックします。

 **アイコンのサイズや角度を調整する**

アイコンのサイズを変更するには、アイコアイコンを回転させる場合は、上辺中央に表示されている回転ハンドルを目的の方向に必要な角度になるまでドラッグします。

 **アイコンのサイズを調整する**

アイコンをクリックし、表示される四隅のいずれかのハンドル○をドラッグして、サイズを調整します。

 **アイコンを移動する**

アイコンを目的の位置までドラッグして移動します。

 **アイコンは図形に変換できる**

アイコンを図形に変換するには、アイコンを選択し、[グラフィックス形式]タブを選択して、[図形に変換]をクリックします。アイコンを図形に変換すると、グループ化を解除してアイコンを分解したり、アイコンに文字を入力したりすることができます。

SECTION　キーワード ▶ 描画機能　　サンプル番号　07sec69

# 69 手書きで書き込んでみよう

手順解説動画

Wordでは、タッチパネルを備えたパソコンやタブレット向けに、手書きで書き込める機能がまとめられた［描画］リボンが用意されています。［描画］リボンには、ドラッグ操作で文字や図形を描いたり、削除したりする機能がまとめられています。

## 手書きで文字や図形を書き込む

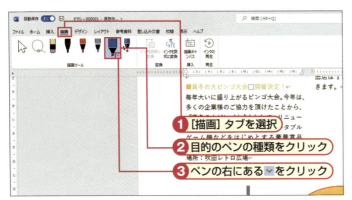

 **ペンの設定画面を表示する**

［描画］タブを選択し、［描画ツール］で目的のペンをクリックし、そのペンの右にある ▽ をクリックしてペンの設定画面を表示する。

 **ペンの詳細を設定する**

ペンのサイズを選択し、目的のペンの色をクリックします。

 **［描画］リボンを利用する**

［描画］リボンには、ペンや消しゴム、インクエディターなど、手書きで書きこむための機能がまとめられています。［描画］リボンは、タッチパネルやペンタブレットが搭載されているパソコンやタブレットでは表示されていますが、それらを備えていないパソコンでは表示されていないことがあります。

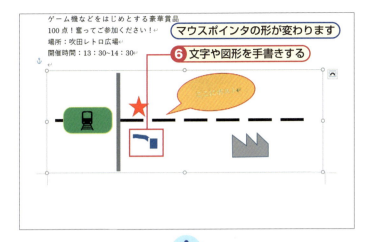

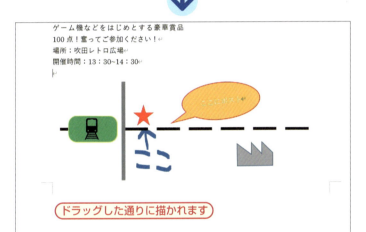

##  手順 3　手書きで書き込む

マウスまたは指などを動かして手書きで書き込みます。

###  便利技　書き込んだ文字や図形を修正する

ペンで書き込んだ文字や図形を修正するには、[描画] タブで [消しゴム] をクリックし、削除したい部分をクリックします。不要な部分を [消しゴム] でクリックすると、1度のドラッグで描いた線が削除されます。なお [消しゴム] では、線の途中まで削除することはできないため注意が必要です。

###  メモ　[描画] リボンが表示されていない

タッチパネルやペンタブレットを備えていないパソコンでは、[描画] リボンが表示されていない場合があります。[描画] リボンを表示させるには、[ファイル] タブを選択し、表示される画面の左一覧で [ホーム] を選択して、左側の下部にある [オプション] をクリックし [Wordのオプション] ダイアログボックスを表示します。左側のメニューで [リボンのユーザー設定] を選択し、右側の [メインタブ] の一覧で [描画] をオンにします。

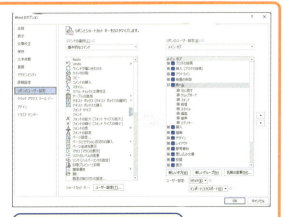

[リボンのユーザー設定] の一覧で [描画] をオンにします

## アクションペンで文字列を選択する

**手順1** 選択する範囲を指定する

[描画] タブを選択し、[アクションペン] をクリックして、目的の範囲を囲むとその範囲の文字列が選択されます。

**メモ** アクションペンで文書を編集する

「アクションペン」は、ペンの操作で文字列を削除したり、目的の範囲を選択したりできるインク編集機能を搭載したペンツールです。アクションペンでは、ペンで目的の範囲を囲むと、その範囲の文字列を選択できます。また、目的の文字列の上に線を描くと、その文字列を削除することができます。

## アクションペンで文字列を削除する

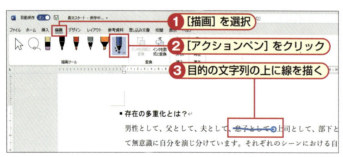

**手順1** 選択する範囲を指定する

[描画] タブを選択し、[アクションペン] をクリックして、目的の文字列の上に線を描くと、その文字列が削除されます。

# インクでの書き込みを再生する

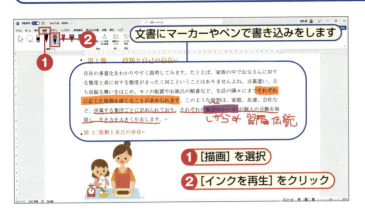

 **インクの履歴を再生する**

[描画] タブを選択し、[インクを再生] をクリックすると、ペンツールで文書に描かれた履歴が順番に動画として再生されます。

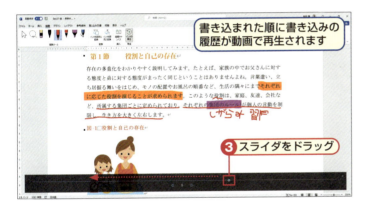

 **スライダをドラッグする**

下部に表示されたスライダをドラッグすると、何度でも同じ個所を再生することができます。

 **インクの再生機能**

Word 2021では、ペンツールで文書に書き込んだ履歴を再生できる「インク再生機能」が追加されました。講義やプレゼンテーション時に、あらかじめ書き込んでおいたペンの履歴を再生しながら、重要なポイントや強調したい個所を解説するといった使い方ができます。

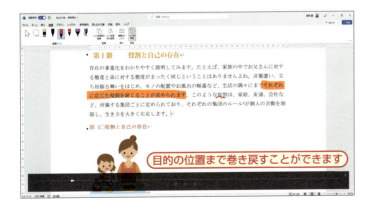

SECTION キーワード▶文字列の折り返しの設定　サンプル番号　07sec70

# 70 図形の配置を整えよう

1ページに複数の図形や写真を挿入すると、綺麗に並んでいなければ、かえって読みづらい書類になってしまいます。この場合は、写真や図形の重なり順や、配置を整えましょう。重なり順や配置が整っていると、見映えがよくなりすっきりとした印象を与えられます。

## 図の重なり順を変更する

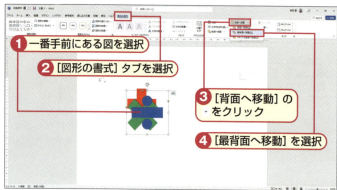

① 一番手前にある図を選択
② ［図形の書式］タブを選択
③ ［背面へ移動］の をクリック
④ ［最背面へ移動］を選択

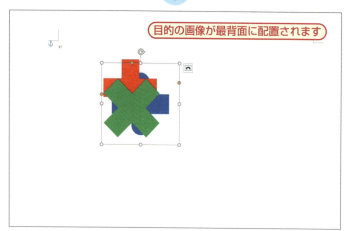

目的の画像が最背面に配置されます

手順1　図を最背面に配置する

最前面にある図形を選択し、［図形の書式］タブを選択して、［背面へ移動］の をクリックし、［最背面へ移動］を選択します。

注意　画像の重なり順

画像は文書に挿入した順番に、配置されるため、後から挿入した画像ほど上に配置されます。画像の重なり順を変更したい場合は、［図形の書式］タブにある［配置］グループの［前面へ移動］ボタンや［背面に移動］ボタンを利用します。［前面へ移動］ボタンと［背面へ移動］ボタンは、一度クリックするたびに、1つずつ前面または背面に移動します。

## 図形を等間隔に配置する

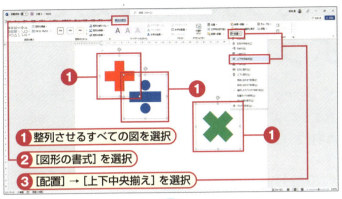

### 手順1　図形の上下の中央で揃える

整列させるすべての図を選択し、[図形の書式] タブを選択して、[配置] をクリックすると表示されるメニューで [上下中央揃え] を選択します。

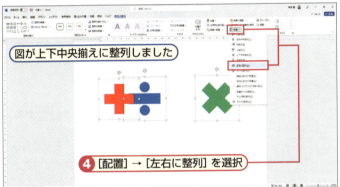

### 手順2　図形を左右等間隔に配置する

整列させるすべての図を選択し、[図形の書式] タブを選択して、[配置] をクリックすると表示されるメニューで [左右に整列] を選択します。

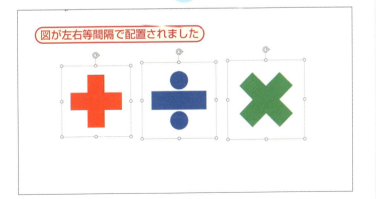

7　図形を利用してわかりやすい文書を作成しよう

SECTION キーワード▶図形と文字列の関係設定　サンプル番号　07sec71

# 71 図形に文字列の折り返しを設定しよう

写真や図形を挿入すると、レイアウトが崩れてしまうことがあります。これは、写真や図形が文字列の間に挿入されるため、画像の周囲に文字列が回り込まないからです。画像に対する文字の折り返し方法を指定して、イメージ通りの書類にしましょう。

## 図形に文字列の折り返しを設定する

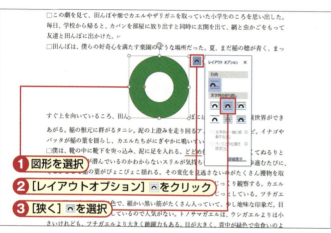

① 図形を選択
② [レイアウトオプション]  をクリック
③ [狭く]  を選択

図形の形に沿って文字が回り込みます

### 手順1 文字列の折り返しの設定を変更する

目的の図形を選択し、図形の右上に表示される [レイアウトオプション]  をクリックして、[狭く]  を選択します。

### 便利技 文字列の折り返しを設定する

「文字列の折り返し」とは、テキストを画像の周囲に回りこませるスタイルのことです。Wordには、文字列の折り返しに [行内]、[四角]、[狭く]、[内部]、[上下]、[背面]、[前面] の7種類が用意されています。それぞれのスタイルの特徴を理解して、適切な文字列の折り返しを設定しましょう。

## 文字列の折り返しの種類を理解しよう

### ❶ [行内]

図形が文字と同様の扱いで行内に配置されるため、図形のサイズや位置が文書のレイアウトに大きく影響します

### ❷ [四角]

文字列が図形の周囲を四角く折り返します

### ❸ [狭く]

文字列が図形の外周に沿って折り返します

### ❹ [内部]

文字列が図形の形に沿って内部にも表示されます（折り返し点の編集が必要です）

### ❺ [上下]

文字列が図形の上下で折り返します

### ❻ [背面]

図形が文字列の背後に配置されます

### ❼ [前面]

文字列が図形の前面に配置されるため、図形を自由に配置できます

7 図形を利用してわかりやすい文書を作成しよう

237

## 既定の文字列の折り返しを変更する

 **Backstageビューを表示する**

[ファイル] タブを選択してBackstageビューを表示します。

 **[Wordのオプション] ダイアログボックスを表示する**

画面左下にある [オプション] をクリックして [Wordのオプション] ダイアログボックスを表示します。

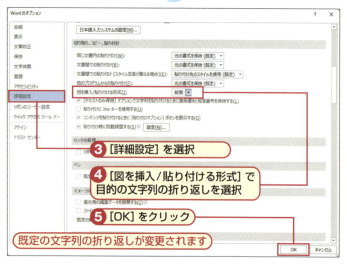

 **既定の文字列の折り返しを変更する**

左のメニューで [詳細設定] を選択し、[切り取り、コピー、貼り付け] にある [図を挿入/貼り付ける形式] で目的の文字列の折り返しを選択して、[OK] をクリックします。

# 8章

## 文書の見映えを良くする便利技

箇条書きなどを使って簡潔にまとめられた書類でも、すべて文字だけなら、読む気が失せてしまうかもしれません。写真や図が載っている書類は、読者の好奇心をくすぐるだけでなく、視覚に訴えることで文字数を減らすこともできます。また、チラシや広告では、ロゴや装飾文字を使うだけで、ニュアンスや気持ちを伝えることができます。写真やワードアート、ストック画像などを使って、わかりやすく、魅力的な書類を作ってみましょう。

SECTION　キーワード ▶ ロゴの作成　　サンプル番号　08sec72

# 72 タイトルのロゴを挿入しよう

手順解説動画

イベントの案内やポップなどでは、タイトルのロゴによって効果が左右されるといっても過言ではありません。ワードアートという機能を利用すると、スタイルを選択して文字列を入力するだけで簡単にロゴを作成することができます。

## ワードアートを挿入する

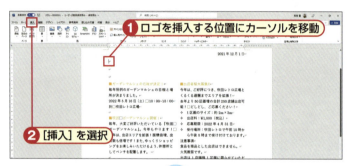

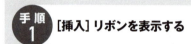

**手順1　[挿入]リボンを表示する**

ロゴを挿入する位置をクリックしてカーソルを表示し、[挿入]タブを選択して[挿入]リボンを表示します。

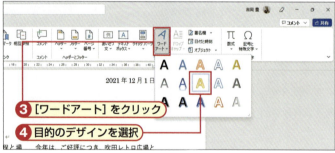

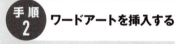

**手順2　ワードアートを挿入する**

[ワードアート]をクリックし、表示されるワードアートのデザインの一覧で目的のデザインをクリックします。

**メモ　ワードアートとは**

「ワードアート」とは、フチ取ったり、立体化したりするなど、文字列を装飾できる機能のことです。ワードアートで作成したロゴは、画像などと同様に扱われるため、自由に配置することができ、拡大/縮小や変形などの編集が可能です。

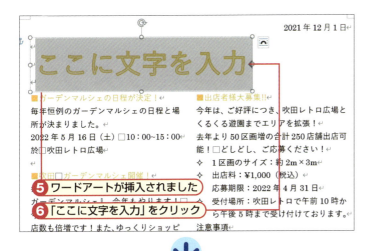

 **ワードアートが挿入された**

選択したデザインで「ここに文字を」と表示されるので、クリックしてカーソルを表示します。

 **ロゴの文字を後から編集する**

ワードアートで作成したロゴは、後から文字を編集できます。ロゴを編集するには、ワードアートをクリックすると、クリックした位置にカーソルが表示され、編集可能な状態になるので文字を修正します。

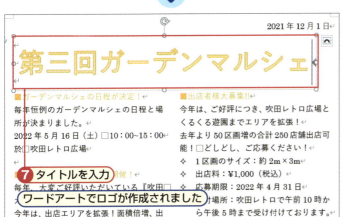

 **文字を入力する**

ワードアートに文字を入力してロゴを作成します。

 **ワードアートと文字の効果の違い**

文書に入力された文字列を選択し、[ホーム] タブにある [文字の効果と体裁] ボタンをクリックして、目的のデザインを選択しても、ワードアートと同じようなロゴを作成できます。しかし、この方法で作成したロゴは、行内に入力された文字に効果を適用しているため、自由に配置できません。ワードアートで作成されたロゴは、画像と同じ扱いとなるため文書のどの位置にでも配置できます。

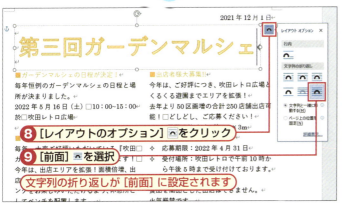

 **文字列の折り返しを [前面] に設定する**

[レイアウトオプション] をクリックし、表示されるメニューで [前面] をクリックします。文字列の折り返しを [前面] に設定すると、ワードアートを自由に配置できるようになります。

SECTION キーワード▶ワードアートの基本　サンプル番号　08sec73

# 73 ワードアートを編集しよう

ワードアートで作成したロゴは、後から拡大縮小したり、移動したりして編集することができます。また、変形したり、塗りつぶしの色を変更したりすることもできます。ワードアートを編集してイメージ通りの文書を作成しましょう。

## ワードアートのサイズを調節する

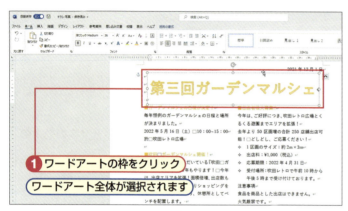

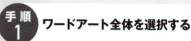
**手順1** ワードアート全体を選択する

ワードアートの枠をクリックし、ワードアート全体を選択します。なお、ワードアートの枠が表示されていないときは、ワードアート上をクリックして枠を表示します。

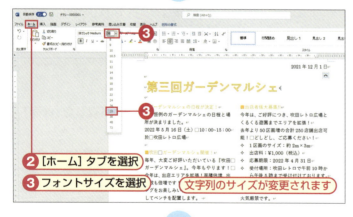

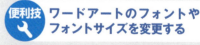
**手順2** フォントサイズを変更する

[ホーム]タブを選択し、[フォントサイズ]の ⌄ をクリックすると表示される一覧で目的のフォントサイズを選択します。

**便利技** ワードアートのフォントやフォントサイズを変更する

ワードアートのフォントの種類を変更するには、ワードアートの枠をクリックして選択し、[ホーム]タブの[フォント]の一覧で目的のフォントを選択します。また、フォントサイズを変更する場合は、ワードアートを選択して[ホーム]タブの[フォントサイズ]の一覧で目的のサイズを選択します。

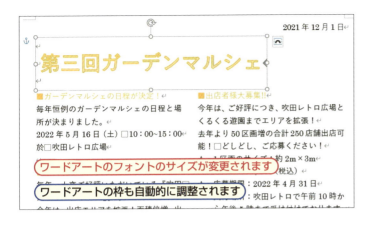

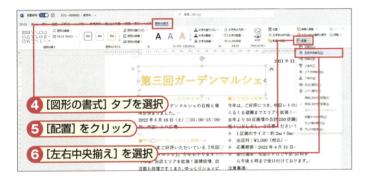

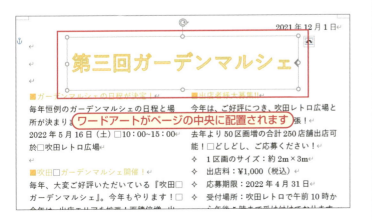

### 便利技 ワードアートのボックスのサイズを変更する

ワードアートのボックスのサイズが文字列より小さい場合は、欠けた状態で表示されることがあります。ワードアートの文字が欠けているときは、ボックスの枠に表示されているハンドル○をドラッグしてボックスのサイズを大きくしてみましょう。

### 手順3  ワードアートの配置を整える

[図形の書式] タブを選択し、[配置] をクリックし、[左右中央揃え] を選択します。

### 裏技  ワードアートの配置を整える

ワードアートは、文字列の折り返しが [行内] 以外に設定されている場合は、[図形の書式] タブにある [配置] 機能で配置を設定できます。ワードアートをドラッグ操作で配置するよりも、簡単で正確に配置できて便利です。

## ワードアートに特殊な効果を加える

**手順1** [図形の書式] リボンを表示する

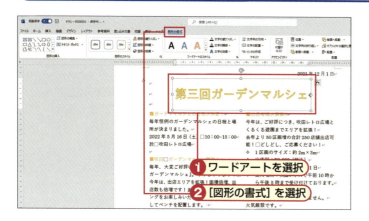

ワードアートをクリックし、[図形の書式]タブを選択して、[図形の書式リボン]を表示します。

**手順2** 文字に効果を適用する

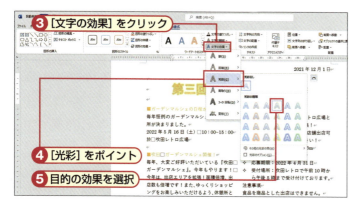

[文字の効果] をクリックし、効果の種類（ここでは [光彩]）を選択して、目的の効果をクリックします。

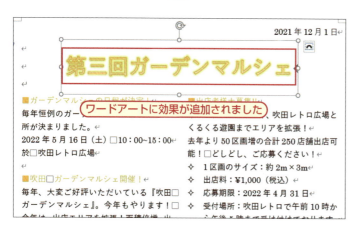

SECTION キーワード▶写真の挿入　　　サンプル番号　08sec74

# 74 文書に写真を挿入しよう

文書に写真を掲載すると、読者の興味を引く上、楽しく読み進められます。また、写真によって具体性が向上し、書類の説得力が増すメリットもあります。文書のポイントとなる個所には、内容に合わせて写真を掲載してみましょう。

## 写真を挿入する

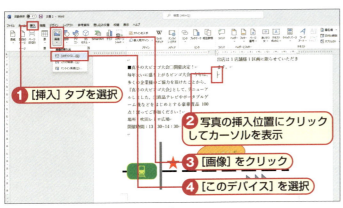

### 手順1 写真の挿入位置を指定する

写真を挿入する位置をクリックし、[挿入]タブを選択して[画像]をクリックし、[このデバイス]を選択します。

### 手順2 写真を挿入する

写真の保存先となるフォルダを表示し、目的の写真を選択して[挿入]をクリックします。

## 写真の配置を調整する

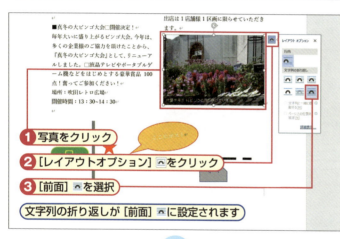

 文字列の折り返しを[前面]に設定する

写真を選択し、[レイアウトオプション] をクリックし、表示されるメニューで[前面]を選択して、文字列の折り返しを[前面]に設定します。

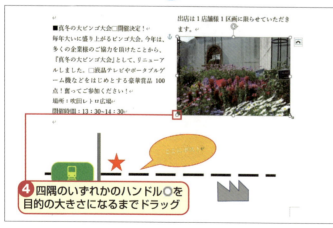

 写真のサイズを調節する

写真の四隅に表示されているハンドル○のいずれかを目的のサイズになるまでドラッグします。

 文字列の折り返しを変更する

写真を文書に挿入すると、文字列の折り返しが[行内]に設定され、自由に配置することができません。レイアウトを崩さずに写真を配置するには、文字列の折り返しを[前面]や[上下]、[四角形]に変更するとよいでしょう。

⑤ **マウスポインタを写真に合わせる**
⑥ **任意の位置までドラッグ**

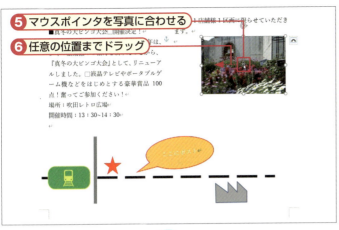

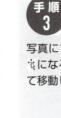

### 手順3 写真を移動する

写真にマウスポインタを合わせると形が になるので、目的の位置までドラッグして移動します。

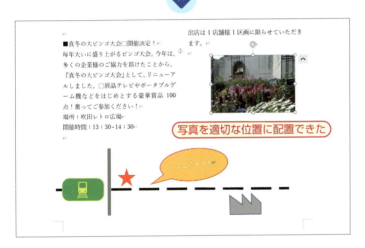

写真を適切な位置に配置できた

## 8 文書の見映えを良くする便利技

---

 **写真を回転させる**

　写真を回転させるには、目的の写真を選択し、上辺中央にある回転ハンドル にマウスポインタを合わせると、形が になるので、そのまま任意の角度になるまでドラッグします。また、キーボードで［Shift］キーを押しながら回転ハンドルをドラッグすると15度ずつ回転させられます。

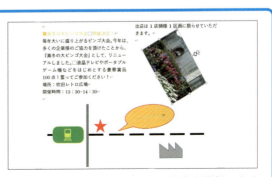

回転ハンドルをドラッグすると写真を回転できます。

SECTION　キーワード▶写真の加工・修整　　　サンプル番号　08sec75

# 75 写真を加工しよう

Wordには、写真などの画像を修整したり、加工したりする機能が豊富に用意されています。文書の目的や好みに合わせて、写真を絵画風に加工したり、スタイルを適用したりして、効果的に画像を利用しましょう。

## 写真の明るさと色を変更する

 **[図の形式]リボンを表示する**

写真をクリックして選択し、[図の形式]タブを選択して[図の形式]リボンを表示します。

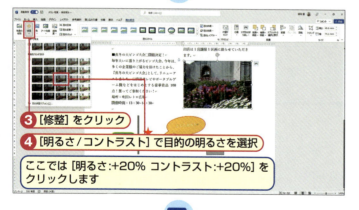

 **写真の明るさを修整する**

[修整]をクリックし、表示されるメニューで目的の明るさを選択します。

 **写真を加工しよう**

Wordには、写真を切り抜いたり、明るさを調節したりするなど、写真を修整・加工する機能が、[図の形式]タブにまとめられています。専用の画像編集ソフトがなくても、Wordの機能である程度の写真の加工が行えます。

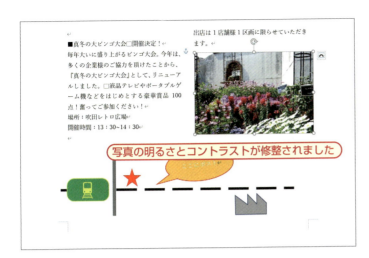

 **写真の明るさを修整する**

写真の明るさやコントラストを修整したい場合は [修整] ボタンをクリックすると表示される [明るさ/コントラスト] の一覧から適切な明るさを選択します。なお、[明るさ/コントラスト] の一覧で目的の明るさをポイントすると、写真に効果が反映され試すことができます。

## 写真の色を修整する

 **手順1　色のトーンを微調整する**

写真をクリックして選択し、[図の形式] タブを選択して、[修整] をクリックし、表示されるメニューで目的の色を選択します。なお、ここでは [色のトーン] の一覧にある [温度：7200K] を選択します。

 **写真の色を微調整する**

[図の形式] リボンにある [色] には、写真の色を微調整するためのメニューがまとめられています。[色の彩度] では、鮮やかさを調節することができ右に行くほど彩度が高くなります。[色のトーン] では、色温度を調節でき、右に行くほど高い色温度を設定できます。また、[色の変更] では写真をモノクロやセピア色にするなど全体の色を変更できます。

# 写真を加工する

### 手順1 [図の形式] リボンを表示する

写真をクリックして選択し、[図の形式] タブを選択して [図の形式] リボンを表示します。

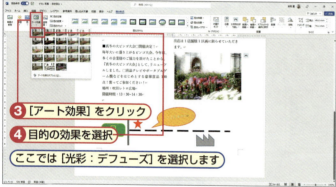

### 手順2 アート効果を適用する

[アート効果] をクリックし、表示されるメニューで目的の効果を選択します。

**メモ アート効果を使ってみよう**

[図の形式] リボンの [アート効果] には、写真を絵画風に加工したり、モザイクをかけたりできる特殊な効果が用意されています。写真にアート効果を適用すると、平凡な写真でもきれいに見えたり、引き締まって見えたりします。

# 写真にスタイルを適用する

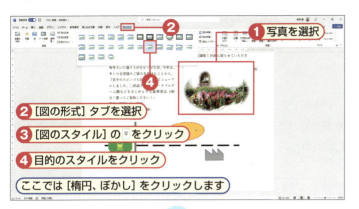

 写真のスタイルを適用する

写真をクリックして選択し、[図の形式]タブを選択して、[図のスタイル]の▽をクリックし、表示される一覧で目的のスタイルを選択します。

① 写真を選択
② [図の形式] タブを選択
③ [図のスタイル] の▽をクリック
④ 目的のスタイルをクリック

ここでは [楕円、ぼかし] をクリックします

写真にスタイルが適用されます

##  写真の被写体を切り抜く

写真の被写体を切り抜きたい場合は、まず、写真を選択し、[図の形式] タブを選択して、左端にある [背景の削除] をクリックします。次に、[保持する領域としてマーク] をクリックし必要な部分をなぞり、[削除する領域としてマーク] をクリックして背景として削除する部分をなぞって、[変更を保持] をクリックします。

[保持する領域としてマーク] ツールと [削除する領域としてマーク] ツールを使って、必要な部分と削除する部分をマークします。

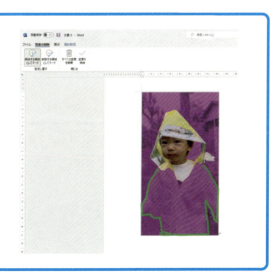

8 文書の見映えを良くする便利技

SECTION　キーワード ▶ 写真の切り抜き　　サンプル番号　08sec76

# 76 写真を切り抜こう

手順解説動画

文書に挿入した写真は、トリミングしたり、図形の形で切り抜いたりすることができます。特にトリミングで必要な部分だけを切り出して、拡大して表示する手順は、利用頻度も高く、効果も抜群です。写真を切り出す方法を覚えて、写真を効果的に見せましょう。

## 写真を切り抜く

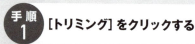
**[トリミング]をクリックする**

写真を選択し、[図の形式]タブを選択して、[トリミング]の⬚をクリックします。

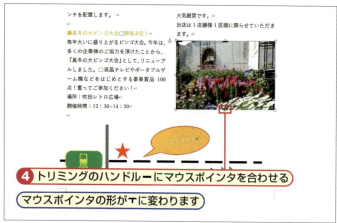

**トリミングのハンドルにマウスポインタを合わせる**

写真の四隅と辺の中央にトリミングのハンドルが表示されるので、辺の中央のハンドル━にマウスポインタを合わせます。

**便利技　切り抜く範囲を指定する**

写真の切り抜く範囲を指定するには、[トリミング]の⬚をクリックすると写真の四辺の中央に表示されるハンドル━を目的のサイズになるまでドラッグします（手順2の図参照）。また、四隅のハンドル┏をドラッグすると、2辺の位置を同時調節できます。

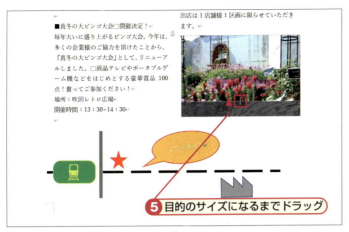

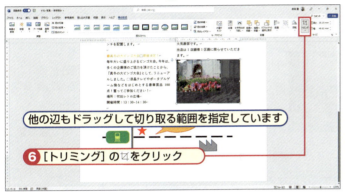

 **切り取る範囲を指定する**

縦の辺、横の辺のトリミングのハンドルーをドラッグして切り取る範囲を指定します。

 **写真を切り取る**

再度[トリミング]をクリックしてトリミングを実行します。

## 縦横比を指定して切り取る

 **手順1 切り取る範囲の縦横比を指定する**

写真をクリックし、[図の形式] タブを選択して、[トリミング] の  をクリックし [縦横比] をポイントします。縦横比の一覧が表示されるので、目的の比率を選択します。なお、ここでは [16:9] を指定します。

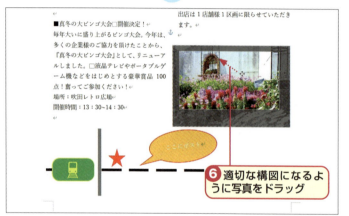

 **手順2 構図を調整する**

指定した縦横比の範囲が指定されるので、写真をドラッグして切り取る位置を微調整します。

 **メモ 縦横比を固定して切り取る範囲を調節する**

　縦横比を変えずに切り取る範囲を調節するには、切り取る範囲の四隅に表示されているハンドル┏を [Shift] キーを押しながらドラッグします。

 **手順3 写真を切り取る**

[トリミング] の ⊠ をクリックして写真を切り取ります。

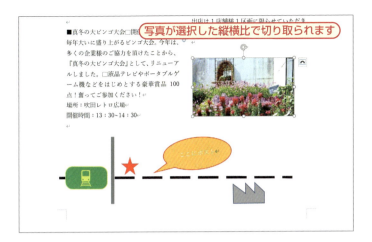

写真が選択した縦横比で切り取られます

## 写真にスタイルを適用する

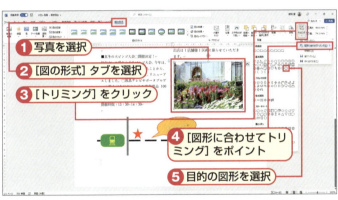

1. 写真を選択
2. [図の形式] タブを選択
3. [トリミング] をクリック
4. [図形に合わせてトリミング] をポイント
5. 目的の図形を選択

写真が図形の形に切り抜かれました

### 手順1 切り取る範囲の形を指定する

写真をクリックし、[図の形式] タブを選択して、[トリミング] の  をクリックし [図形に合わせてトリミング] をポイントします。図形の一覧が表示されるので、目的の形を選択します。なお、ここでは [雲] を指定します。

### 裏技 切り取る範囲を指定しなおす

トリミングを実行した後から、切り取る範囲を指定しなおすには、トリミングした写真を選択し、[図の形式] タブを選択して、[トリミング] の  をクリックすると、トリミングのハンドル━が表示されるので、トリミングのハンドル━をドラッグします。

SECTION キーワード▶SmartArtの活用　　　サンプル番号　08sec77

# 77 SmartArtで複雑な図を作成しよう

組織図やチャート図など、図形を組み合わせて描くには複雑な図が必要な場合には、SmartArtを利用すると簡単に描けます。SmartArtでは、資料作成などで利用頻度の高い8種類の図に多くのバリエーションが用意されています。

## 組織図を作成する

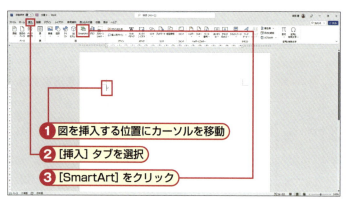

**手順1** [SmartArtグラフィックの選択]ダイアログボックスを表示する

図を挿入する位置をクリックし、[挿入]タブを選択して、[SmartArt]をクリックします。

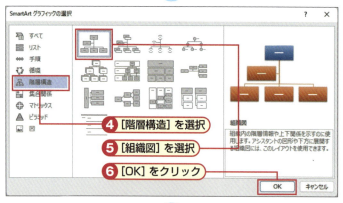

**手順2** 図を挿入する

左側の一覧で図の種類を選択し、表示される画面で目的の図をクリックします。なお、ここでは、組織図の作成を解説します。

**メモ　複雑な図を作成する**

「SmartArt」とは、組織図やチャート図など、資料作成などで利用頻度の高い8種類の図のテンプレートがまとめられている図形作成機能です。複雑な図を簡単な操作で作成でき、図形を追加したり、配色を変更したりするなどカスタマイズもできます。

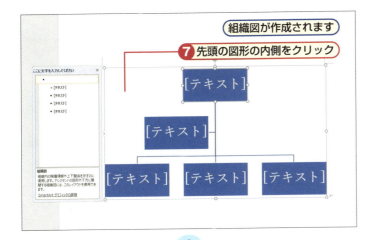

### 手順 3　図形を選択する

組織図が挿入されるので、先頭の図形の内側をクリックしてカーソルを表示します。

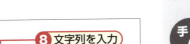
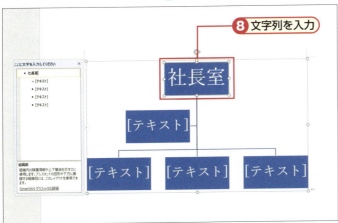

### 手順 4　図形に文字列を入力する

図形に適切な文字列を入力します。

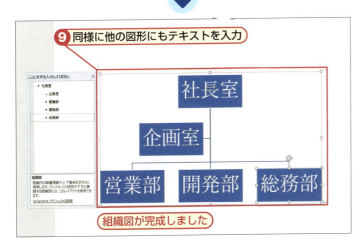
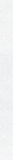

# 組織図を編集する

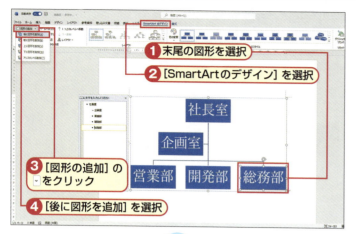

 **手順1 後に図形を追加する**

末尾の図形を選択し、[SmartArtのデザイン] タブを選択して、[図形の追加] の をクリックし、メニューで [後に図形を追加] を選択します。

 **便利技 図から図形を削除する**

SmartArtの図から特定の図形を削除するには、目的の図形を選択して [Delete] キーを押します。また、複数の図形を一度に削除したい場合は、目的の図形を [Ctrl] キーを押しながらクリックして選択し、[Delete] キーを押します。

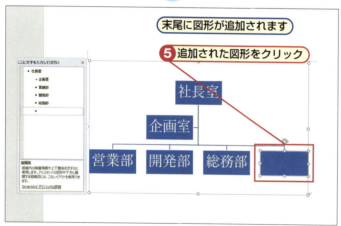

 **手順2 図形にカーソルを表示する**

選択した図形の後ろに図形が追加されます。追加された図形の内側をクリックし、カーソルを表示します。

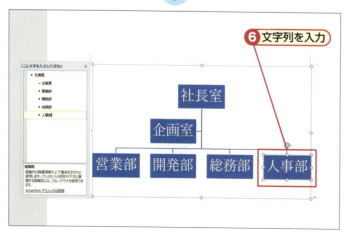

 **手順3 文字列を入力する**

追加された図形に文字列を入力します。

## 組織図の配色を変更する

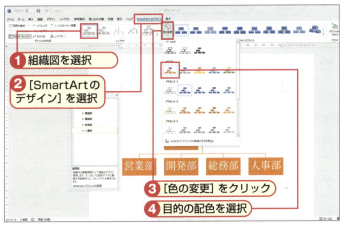

1. 組織図を選択
2. [SmartArtのデザイン]を選択
3. [色の変更]をクリック
4. 目的の配色を選択

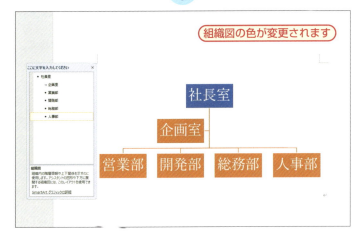

組織図の色が変更されます

###  手順1　図の配色を変更する

図を選択し、[SmartArtのデザイン] タブを選択して、[色の変更] をクリックすると表示される一覧で目的の配色を選択します。

###  裏技　図形を追加する

SmartArtの図に図形を追加するには、[SmartArtツール] の [デザイン] タブを表示し、[図形の追加] ボタンの をクリックすると表示されるメニューで図形を追加する位置を選択します。なお、図形を追加する位置は、次の5種類です。

| [後に図形を追加] | 図形の後ろに同じ図形を追加します |
| [前に図形を追加] | 図形の前に同じ図形を追加します |
| [上に図形を追加] | 1レベル上に図形を追加します |
| [下に図形を追加] | 1レベル下に図形を追加します |
| [アシスタントの追加] | 組織図にアシスタントの図形を追加します |

###  メモ　図のスタイルを変更する

SmartArtで作成した図のスタイルを変更したい場合は、[SmartArtのデザイン] タブを選択し、[SmartArtのスタイル] で をクリックして一覧を展開し、目的のスタイルを選択します。

図のさまざまなスタイルが用意されています

SECTION キーワード▶ストック画像の利用　　　サンプル番号　08sec78

# 78 イメージ通りの写真・イラストを探そう

手順解説動画

イメージに合った写真が見当たらないときは、ストック画像を探してみましょう。Wordには、マイクロソフトが提供する著作権フリーのストック画像が数多く用意されています。また、インパクトのある書類を作りたいときは3Dモデルを挿入するなど工夫してみましょう。

## ストック画像を利用しよう

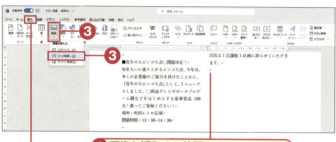

❶ 画像を挿入する位置にカーソルを表示
❷ [挿入] タブを選択
❸ [画像] → [ストック画像] を選択

❹ 目的のカテゴリを選択
ここでは [画像] を選択します
❺ 検索ボックスをクリック

**手順1　ストック画像の一覧を表示する**

画像を挿入する位置をクリックし、[挿入] タブを選択して、[画像] をクリックすると表示されるメニューで [ストック画像] を選択します。

**手順2　カテゴリを選択する**

画面の最上部でストック画像のカテゴリを選択し、検索ボックスをクリックします。なお、ここでは、[画像] を選択して手順を進めます。

**メモ　ストック画像とは**

「ストック画像」とは、マイクロソフトが提供する著作権フリーの写真やイラスト、アイコンなどのことです。画像を使用する際に、作者に断りを入れたり、著作権を支払ったりする必要はなく、自由に使えるのが大きなメリットです。

260

 画像を検索する

検索ボックスにキーワードを入力すると、検索結果が表示されるので、目的の画像をクリックして[挿入]をクリックします。

##  ストック画像とオンライン画像の違い

[挿入]リボンにある[画像]のメニューには、[ストック画像]のほかに[オンライン画像]という項目があります。オンライン画像は、インターネット上にある画像素材を検索し挿入できる機能です。インターネットにある画像を検索するため、どんな素材でも見つけられるというメリットがありますが、著作権に対する対応を確認する必要があります。ストック画像は、著作権フリーですが、数に限りがあります。必要に合わせてストック画像とオンライン画像を使い分けましょう。

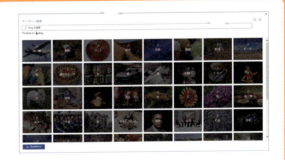

オンライン画像は、あらゆる素材が見つかりますが、著作権への対応を確認する必要があります。

# スクリーンショットを挿入する

❶ 文書に挿入する画面を開いておく

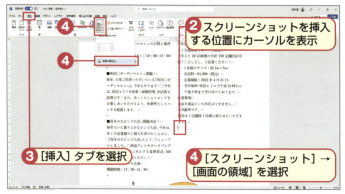

❷ スクリーンショットを挿入する位置にカーソルを表示
❸ [挿入] タブを選択
❹ [スクリーンショット] → [画面の領域] を選択

開いておいた画面が表示されます
❶ 文書に挿入する範囲をドラッグ

 **手順1　文書に挿入する画面を開いておく**

あらかじめスクリーンショットとして文書に挿入する画面を開いておきます。

 **手順2　[画面の領域] を選択する**

スクリーンショットを挿入する位置をクリックし、[挿入] タブを選択して、[スクリーンショット] をクリックし [画面の領域] を選択します。

 **手順3　文書に挿入する範囲を指定する**

あらかじめ開いておいた画面が表示されるので、文書に挿入する範囲をドラッグして指定します。

 **メモ　スクリーンショットを挿入する**

パソコンに表示されている画面を撮影した画像のことを「スクリーンショット」といいます。Wordでは、左の手順に従うと必要な画面のスクリーンショットを撮影し、文書に挿入することができます。地図やWebページなど、必要が画面を画像として挿入してみましょう。

## 3Dモデルを挿入しよう

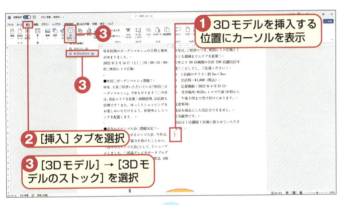

 **手順1** 3Dモデルの選択画面を表示する

3Dモデルを挿入する位置をクリックし、[挿入]タブを選択して、[3Dモデル]をクリックし[3Dモデルのストック]を選択します。

 **手順2** カテゴリを選択する

3Dモデルの選択画面が表示されるので、目的のカテゴリをクリックします。

**便利技** 3Dモデルを挿入しよう

「3Dモデル」は、立体的に描かれたグラフィックスで、ドラッグで回転させることができ、どの角度にも傾けることができます。単純な立体から恐竜やキャラクターまでなどさまざまなカテゴリのモデルが用意され、教育やプレゼンテーションなどに活用されています。

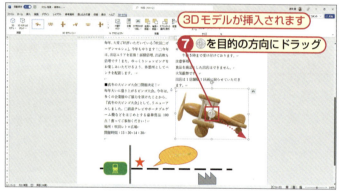

### 手順3　3Dモデルを選択する

選択したカテゴリに含まれる3Dモデルが表示されるので、目的の3Dモデルをクリックし、[挿入]をクリックします。

### 手順4　3Dモデルの方向を調整する

3Dモデルが挿入されます。3Dモデルの中央に表示されているアイコン⊕を任意の方向にドラッグして方向を調整します。

SECTION キーワード▶透かし文字　サンプル番号　08sec79

# 79 透かし文字を挿入してみよう

手順解説動画

透かし文字とは、文書の背後に薄く表示される文字列や画像のことです。文書の閲覧を社内に限定したい場合やコピー禁止の書類には、透かし文字を表示して、その取り扱いに注意を促しましょう。

8 文書の見映えを良くする便利技

## 透かし文字とは

文書の背景に透かした文字や画像のことを「透かし文字」といいます。一般的には「コピー禁止」や「持ち出し禁止」などの文字を表示して、文書の取り扱いに注意を促します。また、透かし文字を入れておくことで、コピーされたり流用されたりすることを防ぐこともできます。

透かし文字を表示すると、文書の取り扱いに注意を促すことができます

## 透かし文字を挿入する

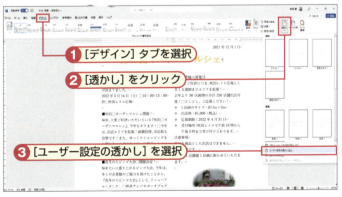

① [デザイン] タブを選択
② [透かし] をクリック
③ [ユーザー設定の透かし] を選択

**手順1** [透かし] ダイアログボックスを表示する

[デザイン] タブを選択し、[透かし] をクリックして、[ユーザー設定の透かし] を選択して [透かし] ダイアログボックスを表示します。

265

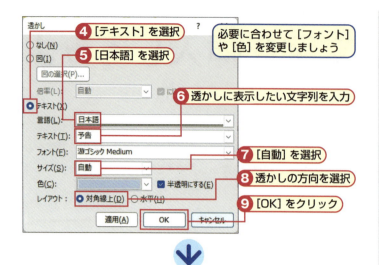

必要に合わせて[フォント]や[色]を変更しましょう

④ [テキスト]を選択
⑤ [日本語]を選択
⑥ 透かしに表示したい文字列を入力
⑦ [自動]を選択
⑧ 透かしの方向を選択
⑨ [OK]をクリック

文書に透かしが挿入されました

 **手順2 透かしの詳細を設定する**

[テキスト]を選択し、[言語]に[日本語]を選択して、[テキスト]に透かしに表示する文字列を入力します。[サイズ]は[自動]を選択し、[レイアウト]で透かしの表示方向を指定して[OK]をクリックします。

 **便利技 透かし文字を削除するには**

透かし文字を削除するには、[デザイン]タブにある[透かし]ボタンをクリックし、[透かしの削除]を選択します。

 **裏技 用意された透かし文字を利用する**

[透かし]ボタンには、「緊急」、「至急」、「社外秘」、「複製を禁ず」の4種類の文字列、6パターンが用意されています。用意された透かし文字を適用するには、[透かし]ボタンをクリックすると表示される一覧から、目的の透かし文字を選択します。

---

 **裏技 ページ罫線を表示させる**

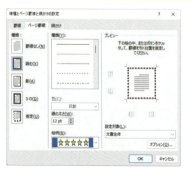

イベントのお知らせや商品のポップなどでは、罫線で書類を飾ると、商品やイベントのイメージなどを視覚的に伝えることができます。ページに罫線を引くには、[デザイン]タブを選択し、リボンの右端にある[ページ罫線]をクリックして、表示される[線種とページ罫線と網かけの設定]ダイアログボックスで罫線のスタイルと種類などを設定します。

左の一覧でスタイルを選択し、[種類]や[絵柄]で罫線の種類を指定して、[OK]をクリックします。

SECTION　キーワード▶QRコードの挿入　　　サンプル番号　08sec80

# 80 QRコードを挿入しよう

手順解説動画

QRコードは、多くの情報を格納できる2次元コードです。商品名やWebページのURL、会社情報など、QRコードを読み込むだけで、格納された情報を表示できます。書類には書ききれない情報やWebページのURLなどはQRコードに保存して、書類に掲載しましょう。

8　文書の見映えを良くする便利技

## QRコードを挿入する

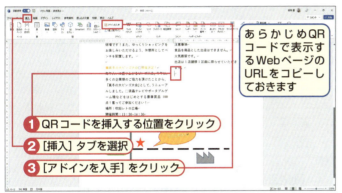

あらかじめQRコードで表示するWebページのURLをコピーしておきます

1 QRコードを挿入する位置をクリック
2 [挿入] タブを選択
3 [アドインを入手] をクリック

4 検索ボックスに「QRコード」と入力して検索
5 目的のアドインの [追加] をクリック

ここでは「QR4Office」を使った手順を解説します

**手順1** [Officeアドイン] ボックスを表示する

QRコードに格納するWebページのURLをコピーしておきます。次に文書でQRコードを挿入する位置をクリックし、[挿入] タブを選択して、[アドインを入手] をクリックし [Officeアドイン] ボックスを表示します。

**便利技** QRコード作成のアドインをインストールする

WordにはQRコードを生成する機能は用意されていないため、QRコード作成するには、左の手順に従ってアドイン（拡張機能のこと）を追加する必要があります。なお、このSECTIONでは、「QR4Office」というアドインを使った手順を解説します。

**手順2** アドインをインストールする

検索ボックスに「QRコード」と入力し、をクリックして検索を実行します。検索結果にあるQR4Officeの [追加] をクリックします。

少々お待ちください...

QR4Office

ライセンス条項とプライバシー ポリシー

[続行] をクリックすると、プロバイダーのライセンス条項とプライバシーポリシーに同意し、この製品を使用する権利は Microsoft が提供していないことを理解しているものと見なされます (Microsoft がプロバイダーでない場合)。

**6** ライセンス条項とプライバシーポリシーを確認

**7** [続行] をクリック

キャンセル　続行

## 手順 3　ライセンス条項とプライバシーポリシーに同意する

ライセンス条項とプライバシーポリシーを確認し、[続行] をクリックしてアドインをインストールします。

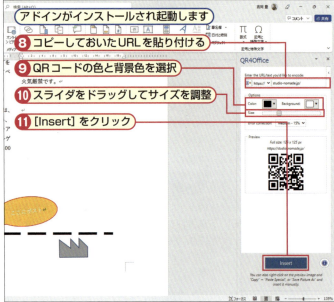

**8** コピーしておいたURLを貼り付ける

**9** QRコードの色と背景色を選択

**10** スライダをドラッグしてサイズを調整

**11** [Insert] をクリック

アドインがインストールされ起動します

## 手順 4　QRコードを挿入する

[Enter the URL] にコピーしておいたWebページのURLを設定します。[Color] と [Background] でコードの色と背景色を指定して、[Size] のスライダをドラッグしてサイズを指定し、[Insert] をクリックして文書に挿入します。

QRコードが挿入された

# 9章

## 効率的に書類を作成するためのテクニック

レポートや論文、小説といった長い文書を作成する際には、先に見出しを書き出して全体の構成を確定してから本文を書き始めるとよいでしょう。構成を決めてから書き始めると、まとまりのある文書になるだけでなく、目次や索引といった参考資料も作成しやすくなります。Wordには、長く複雑な書類を作成するために便利な機能が用意されています。これらの機能を使いこなして、文書を効率よく作成しましょう。

SECTION キーワード▶ 見出し／アウトラインモード サンプル番号 09sec81

# 81 アウトラインモードを利用して文書の骨組みを作る

レポートなどの長文を作成する場合は、章や段落の見出しを書き出して、全体の骨組みを作ってから、見出しに階層を設定し、全体の流れを整理します。見出しの設定をすることで、本文を効率的に書くことができます。

## 見出しを入力する

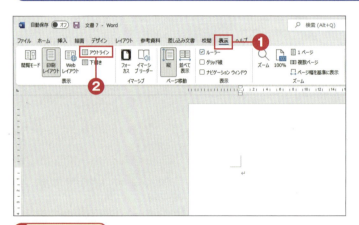

① [表示] を選択
② [アウトライン] をクリック

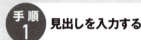 見出しを入力する

[表示] タブを選択し、[アウトライン] をクリックして、アウトラインモードに切り替えます。

アウトラインモードに切り替わり、[アウトライン] タブが表示されます
③ 見出しを入力
すべての見出しが「レベル1」で表示されます

 見出しを入力する

章や節の見出しを入力します。

 アウトラインモードとは

「アウトラインモード」は、見出しレベルを設定しながら、全体の構成を組み立てられる表示形式です。レポートのような長文を作成する場合に、見出しのレベルや全体の構成を確認しながら組み立てるのに便利です。

# 見出しレベルを変更する

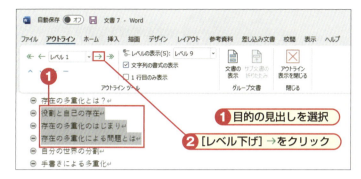

❶ 目的の見出しを選択
❷ [レベル下げ] →をクリック

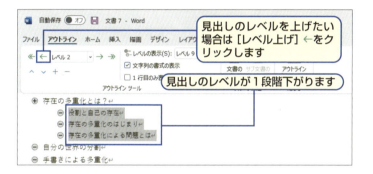

見出しのレベルを上げたい場合は [レベル上げ] ←をクリックします

見出しのレベルが1段階下がります

 **見出しのレベルを下げる**

章に含まれる節の見出しを選択し、[レベル下げ] をクリックして、選択した見出しのレベルを下げます。

 **見出しにレベルを設定する**

　見出しには、9段階のレベルを設定できます。見出しにレベルを設定すると、レベルに応じた書式で表示されるため、文書の構成を一目で確認できます。見出しにレベルを設定するには、アウトラインモードに切り替えて、[レベル上げ] ←または [レベル下げ] ボタン→をクリックして、目的の見出しのレベルを指定します。

 **見出しを展開する/折りたたむ**

　アウトラインモードでは、見出しの内容を展開して表示させたり、折りたたんで非表示にしたりすることができます。見出しの内容を展開するには、目的の見出しをクリックし [展開] ボタン＋をクリック、見出しの内容を折りたたむには [折りたたむ] ボタン―をクリックします。また、見出しの左にある ⊕ をダブルクリックしても、内容を展開/折りたたむことができます。

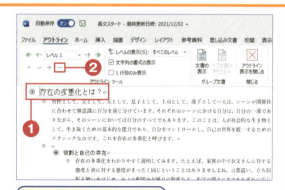

見出しの内容を表示させるには、目的の見出しを選択し [展開] ＋をクリックします

❶ 折りたたむ見出しをクリック
❷ [折りたたむ] ―をクリック

見出しの内容が折りたたまれ非表示になります

9　効率的に書類を作成するためのテクニック

## 本文を入力する

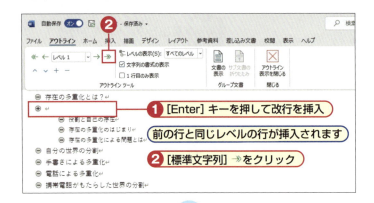

 **手順1 本文の領域を定義する**

章見出しの後ろにカーソルを表示し、キーボードで [Enter] キーを押して改行すると、章見出しと同じレベルの行が挿入されます。[標準文字列] をクリックして、挿入した行の書式を [本文] に設定します。

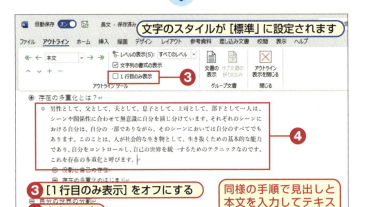

 **手順2 本文を入力する**

[1行目のみ表示] をオフにして、本文を入力します。

 **メモ 本文のスタイルを指定する**

文書の本文には、「標準」スタイルを適用します。本文に「標準」スタイルを適用するには、アウトラインモードで本文のテキストをクリックし、[標準文字列] ボタン →≫ をクリックします。

## 見出しを入れ替える

 **手順1 マークにマウスポインタを合わせる**

見出しのマークにマウスポインタを合わせると、形が ✥ になります。

 **便利技 見出しの順序を変更する**

見出しの順序を変更したい場合は、見出しの左に表示されているマークを目的の順序の位置までドラッグします。見出しの順序を入れ替えると、見出しに含まれる内容も自動的に移動されるため、簡単にミスなく構成を変更できます。

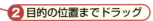

　**見出しを移動させる**

見出しのマークを任意の位置までドラッグします。

　**特定のレベルの見出しを表示させる**

　特定のレベルの見出しを表示させたい場合は、[アウトライン] リボンにある [レベルの表示] で目的のレベルを選択します。[レベルの表示] で [レベル2] を選択すると、レベル1とレベル2の見出しだけが表示されます。

## アウトラインモードを閉じる

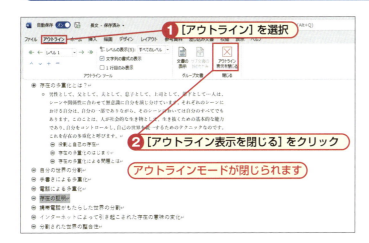

　**アウトライン表示を閉じる**

[アウトライン] タブを選択し、[アウトライン表示を閉じる] をクリックすると、アウトラインモードが終了します。

　**見出しごと削除するには**

特定の見出しとその内容を一度に削除するには、見出しの左にあるマークをクリックすると、見出しとそこに含まれる内容が選択されるので、キーボードで [Delete] キーを押します。

SECTION   キーワード▶文書のスタイル   サンプル番号　09sec82

# 82 文書にスタイルを適用する

手順解説動画

見出しと本文の入力が完了したら、文書にスタイルを適用しましょう。文書にスタイルを適用すると、見出しや本文のフォント、配色などをまとめて設定でき、文書の構成をわかりやすくできます。

## 文書のスタイルをまとめて変更する

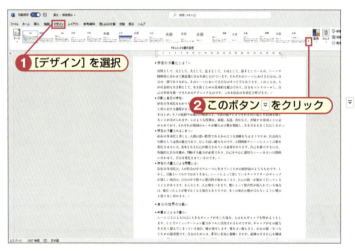
① [デザイン] を選択
② このボタン▽ をクリック

 **スタイルの一覧を表示する**

[デザイン] タブを選択し、[ドキュメントの書式設定] にある▽をクリックして、スタイルの一覧を表示します。

③ 目的のスタイルセットを選択

 **スタイルを選択する**

目的のスタイルをクリックすると、文書にスタイルが適用されます。

**裏技　文書のデザインのセットが用意されている**

　[デザイン] リボンには、見出しや本文など、パートごとに色やフォント、配置などの設定が組み合わされた「スタイルセット」というデザインのセットが用意されています。スタイルセットを指定すると、見出しや本文に、フォント、背景色などのスタイルをまとめて変更できます。

> 「スタイルセットが適用されました」

### 便利技 文書のフォントを変更する

文書全体のフォントを一括で変更したい場合は、[デザイン] タブを選択し、[フォント] ボタンをクリックすると表示されるフォントの一覧で目的のフォントを選択します。この操作でフォントを選択すると、見出しや本文のフォントをまとめて変更できます。

## 配色を変更する

 [デザイン] を選択
 配色をクリック
 目的の配色を選択

↓

> 「スタイルセットの配色が変更されました」

### 手順1 配色を変更する

[デザイン] タブを選択し、[配色] をクリックして、目的の配色を選択すると、文書に指定した配色が適用されます。

### 便利技 スタイルセットの配色を変更する

初期設定では、文書に「Officeのテーマ」が設定されています。テーマでは、見出しや本文など部位ごとに、フォントの種類とフォントサイズ、文字色などの書式が決められています。左の手順に従うと、テーマの設定のうち配色だけを変更することができます。

SECTION　キーワード▶スタイルの編集　サンプル番号　09sec83

# 83 スタイルを編集してみよう

見出しや本文に適用したスタイルは、あとから変更することができます。フォントや文字色、背景色などを編集してオリジナルの文書を作ってみましょう。また、見出しなどに加えた変更をスタイルとして他の見出しに反映させることもできます。

## 既存のスタイルを編集する

❶ [ホーム] を選択
❷ 目的の見出しをクリック
❸ [スタイル] の一覧で適用中のスタイルを右クリック
❹ [変更] を選択

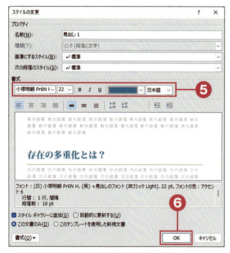

ここではフォントの種類とフォントサイズ、文字色を変更しています

❺ 見出しの書式を変更
❻ [OK] をクリック

### 手順1　[スタイルの変更] ダイアログボックスを表示する

[ホーム] タブを選択し、設定を変更する見出しをクリックして、リボンにあるスタイルの一覧で適用中のスタイルを右クリックし [変更] を選択して [スタイルの変更] ダイアログボックスを表示します。

### 手順2　書式を変更する

[書式] にあるフォントの種類やサイズ、色を変更し、[OK] をクリックします。

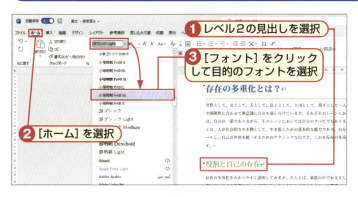

## 見出しの書式変更を他の見出しにも反映させる

### 手順1　見出しのフォントを変更する

レベル2の見出しを選択し、[ホーム] タブを選択して、[フォント] をクリックして一覧から目的のフォントを選択します。

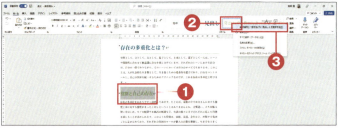

### 手順2　変更を他の個所に適用させる

変更を加えた見出しを選択し、[ホーム] タブにあるスタイルの一覧で、適用中のスタイルを右クリックして、[選択個所と一致するように（部位の名前）を更新する] を選択します。

### 便利技　変更を他の個所にも反映させる

特定の部位に加えた変更を後から同じ部位の他の個所に反映させることもできます。追加した変更を他の個所に反映させるには、変更した部位を選択し、[ホーム] タブの [スタイル] の一覧で、変更した部位に適用されているスタイルを右クリックして、[選択個所と一致するように（スタイル名）を更新する] を選択します。

SECTION キーワード ▶ 見出し番号の設定　　　サンプル番号　09sec84

# 84 章や見出しに番号を表示させる

手順解説動画

長文になると、途中で読むことをやめて、後から続きを読むということがあります。その場合に、どこまで読んだかわからなくなることがあるので、章や見出しには通し番号を付けておくとよいでしょう。

## 見出しの番号を設定する

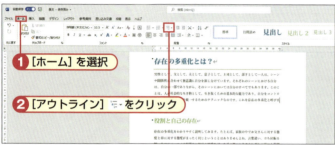

① [ホーム] を選択
② [アウトライン]  をクリック

**手順1　見出し番号のスタイル一覧を表示する**

[ホーム] タブを選択して、[アウトライン]  をクリックして、見出し番号のスタイル一覧を表示します。

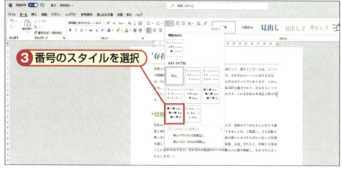

③ 番号のスタイルを選択

**手順2　見出し番号のスタイルを選択する**

目的の見出し番号のスタイルをクリックします。

見出しに番号が表示されます

**メモ** 見出し番号を編集する

見出し番号の書式を変更するには、[ホーム] タブで [アウトライン] ボタンをクリックし、メニューで [新しいアウトラインの定義] を選択して、[新しいアウトラインの定義] ダイアログボックスを開きます。変更する見出しのレベルを選択し、[番号書式] に目的の段落番号を入力して [OK] ボタンをクリックすると、変更した段落番号が登録されます。

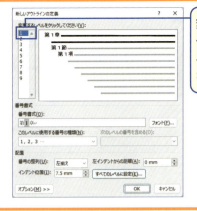

変更するレベルを選択し、[番号書式] で見出し番号を編集します

## 見出しのインデントを調節する

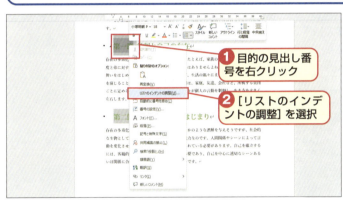

① 目的の見出し番号を右クリック

② [リストのインデントの調整] を選択

 **手順1** [新しいアウトラインの定義] ダイアログボックスを表示する

目的の見出し番号を右クリックし、ショートカットメニューで [リストのインデントの調整] を選択して、[新しいアウトラインの定義] ダイアログボックスを表示します。

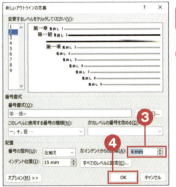

③ [左インデントからの距離] に目的の値を入力

④ [OK] をクリック

 **手順2** 左インデントからの距離を変更する

[左インデントからの距離] に適切な数値を入力し、[OK] をクリックします。

**便利技** 見出しのインデントを調節する

見出し番号を設定すると、レベル2の見出しには自動的に7.5mmの左インデントが挿入されます。本文とのバランスが悪いと感じた場合は、この手順に従ってインデントの距離を調節し、違和感が残らないようにしましょう。

左インデントが調節されました

SECTION キーワード▶図表番号の設定　　サンプル番号　09sec85

# 85 図や表に通し番号を付ける

レポートなどで図や表を多用する場合は、図表番号を挿入しましょう。図に連番を付けると、解説しやすくなる上、読者も読みやすくなります。図や表を選択して、ラベルを指定するだけで連番が振られた図表番号を挿入できます。

## 図表番号とは

「図表番号」とは、文中に挿入された図や表に振られた連番のことで、タイトルやキャプションとともに表示されています。[参考資料]タブには、[図表番号の挿入]ボタンが用意されており、図や表の位置とラベルを指定するだけで、簡単に図表番号を挿入できます。

## 図表番号を挿入する

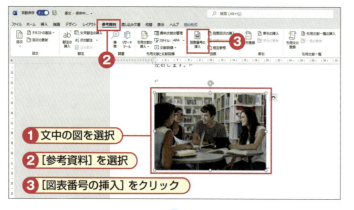

① 文中の図を選択
② [参考資料] を選択
③ [図表番号の挿入] をクリック

**手順1** [図表番号]ダイアログボックスを表示する

文書に挿入した図を選択し、[参考資料]タブを選択して、[図表番号の挿入]をクリックし、[図表番号]ダイアログボックスを表示します。

**手順2** 図表番号のスタイルを設定する

[ラベル] で [図] を選択し、[位置] で図表番号を表示する位置を選択して、[OK] をクリックします。

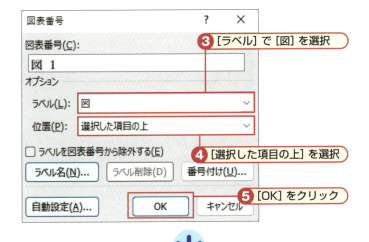

 図表番号にキャプションを入力する

図表番号を挿入すると、図表番号と入力可能な領域が作成されるので、図や表のタイトルやキャプションを入力しましょう。

 **手順3** 図表番号が挿入された

図表番号が挿入されると、図表番号の後ろにカーソルが表示されるので、図のキャプションを入力します。

---

 **便利技** 図表番号のラベルを作成する

図表番号の「図」のようなラベルは、新規で作成することができます。図表番号のラベルを作成するには、この手順に従って [図表番号] ダイアログボックス（手順2の図）を表示し、[ラベル名] をクリックすると表示される [新しいラベル名] ダイアログボックスで目的の名前を入力して [OK] ボタンをクリックします。

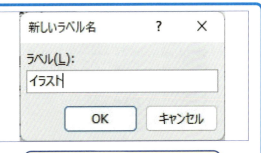

「イラスト」という図表番号のラベルを作成します

SECTION キーワード▶脚注の設定　　サンプル番号　09sec86

# 86 単語に脚注を付ける

文中の語句の意味や引用元などを参照させたい場合は、脚注を挿入しましょう。脚注を挿入すると、目的の単語に番号が振られ、その番号に対応したテキストをページの最下部に表示させることができます。

## 単語に脚注を設定する

❶ 単語の末尾にカーソルを移動
❷ [参考資料] タブを選択
❸ [脚注の挿入] をクリック

目的の単語の右に脚注番号が挿入されます

 **手順1　脚注番号を挿入する**

目的の単語の末尾をクリックしてカーソルを表示し、[参考資料] タブを選択して、[脚注の挿入] をクリックして脚注番号を挿入します。

 **メモ　脚注を付ける**

「脚注」とは、ページの枠外に表示された、用語の解説や補足説明などを記した短文のことです。単語に脚注を挿入するには、単語の末尾にカーソルを移動し、[参考資料] タブにある [脚注の挿入] ボタンをクリックすると、最下部に脚注の領域が作成されるのでテキストを入力します。

 **手順2　脚注番号が挿入された**

単語の末尾に脚注番号が挿入されます。

ページ下部に脚注欄が表示され同じ脚注番号が表示されます

1. 社会的な規範や習慣を含む広義でのルールのこと。

脚注を入力します

 **手順3 脚注領域が作成された**

ページの最下部に同じ番号の脚注領域が作成され、カーソルが表示されます。

 **手順4 脚注を入力する**

脚注番号の後に脚注を入力します。

 **便利技 文末脚注を挿入する**

「文末脚注」とは、文書の末尾に表示されている脚注のことです。脚注は各ページの末に表示されますが、小説ように文書の末尾にまとめて脚注を表示させた方が良い場合は、文末脚注を利用します。文末脚注を挿入するには、[参考資料]リボンで[文末脚注の挿入]ボタンをクリックし、文書の末尾に作成される脚注に解説を入力します。

 **脚注番号の書式を変更する**

脚注番号をアルファベットにしたり、漢数字にしたりしたい場合は、[脚注と文末脚注]ダイアログボックスの[番号書式]を変更します。[脚注と文末脚注]ダイアログボックスを表示するには、[参考資料]タブにある[脚注]グループの 🔽 をクリックします。

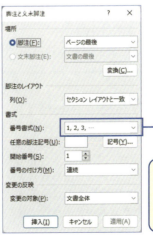

[番号書式]には、数字の他にアルファベットやローマ数字、漢数字など脚注番号の形式が用意されています

SECTION キーワード ▶ 目次の作成　　　サンプル番号　09sec87

# 87 目次を作成しよう

長い文書の場合は、読者が途中から再読したり、部分的に読んだりすることを想定して、目次を作成しましょう。また、図や表、グラフが多用されている資料では、図表目次を作成しておくと親切です。

## 目次を作成する

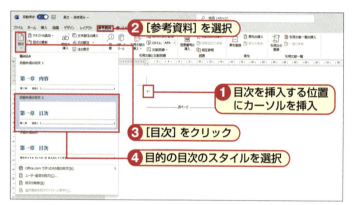

### 手順1　目次を作成する

目次を挿入する位置をクリックし、[参考資料] タブを選択して、[目次] をクリックすると表示される一覧で目的のスタイルを選択します。

 便利技　文書に目次を追加する

文書から目次を作成するには、あらかじめ見出しのアウトラインレベルを設定しておく必要があります（SECTION81参照）。次の手順に従うと、アウトラインレベルが抽出され、見出しの情報を再構成して自動的に目次が生成されます。

 便利技　段落番号を非表示にするには

見出しに見出し番号が設定されている場合は、目次にも見出し番号が表示されます。目次の見出し番号を削除したいときは、目次の見出し番号をクリックし、[ホーム] タブを選択して、[段落番号] をクリックすると表示されるスタイルの一覧で [なし] を選択します。

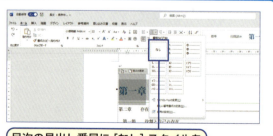

目次の見出し番号に [なし] スタイルを適用して、見出し番号を非表示にします。

# 図表目次を作成する

## 手順1 [図表目次] ダイアログボックスを表示する

図表目次を表示する位置をクリックし、[参考資料] タブを選択して、[図表目次の挿入] をクリックし、[図表目次] ダイアログボックスを表示します。

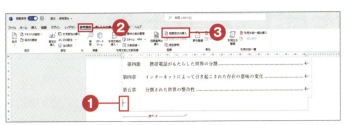

1. 図表目次を表示する位置にカーソルを表示する
2. [参考資料] を選択
3. [図表目次の挿入] をクリック

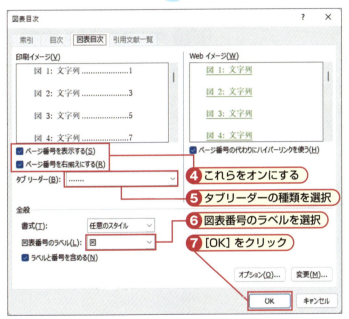

## 手順2 図表目次を作成する

ページ番号の表示と右揃えを有効にし、タブリーダーの種類を選択して、[図表番号のラベル] でラベルを選択し、[OK] をクリックします。

### 図表目次を挿入する

「図表目次」とは、図や表が表示されているページを一覧にまとめた目次のことで、[参考資料] リボンの [図表目次の挿入] ボタンを利用して簡単に作成できます。研究資料で図や表、グラフが多い場合には図表目次を作成しておくと便利です。

4. これらをオンにする
5. タブリーダーの種類を選択
6. 図表番号のラベルを選択
7. [OK] をクリック

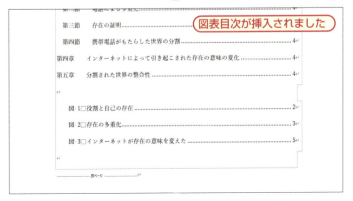

図表目次が挿入されました

SECTION　キーワード ▶ 索引の作成　　サンプル番号　09sec88

# 88 索引を作成してみよう

Wordには、索引を作成する機能が用意されています。論文やレポートでは、用語を索引にまとめて、用語が掲載されているページを検索できるようにしておきましょう。用語の意味をすばやく確認できて便利です。

## 索引の用語を登録する

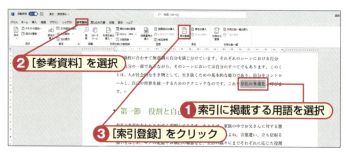

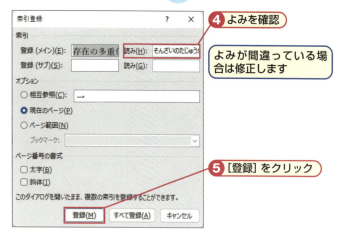

 **手順1　索引に掲載する単語を選択**

索引に掲載する単語を選択し、[参考資料] タブを選択して、[索引登録] をクリックして [索引登録] ダイアログボックスを表示します。

 **手順2　単語を索引に登録する**

[読み] で単語の読みを確認し、[現在のページ] を選択して、[登録] をクリックします。索引に掲載する単語すべてにこの操作を繰り返します。

 **便利技　索引に載せる用語を登録する**

索引を作成するには、索引に用語を登録する必要があります。用語を登録するには、目的の用語を選択し、[参考資料] タブにある [索引登録] ボタンをクリックして、[索引登録] ダイアログボックスで読みを確認し [登録] ボタンをクリックします。この操作を、用語ごとに繰り返します。

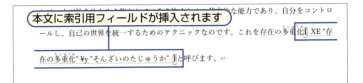

## 索引を挿入する

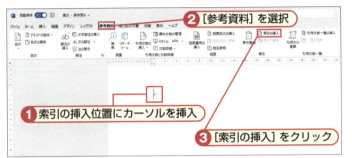

  **[索引] ダイアログボックスを表示する**

索引を挿入する位置をクリックし、[参考資料] タブを選択して、[索引の挿入] をクリックし、[索引] ダイアログボックスを表示します。

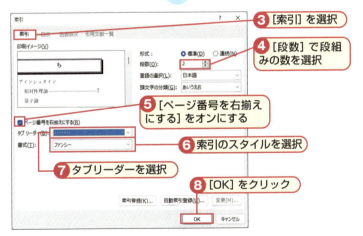

  **索引を作成する**

[索引] タブが選択されているのを確認し、[段数] で段組みの数を指定します。[ページ番号を右揃えにする] をオンにし、タブリーダーと書式の種類を選択して [OK] をクリックします。

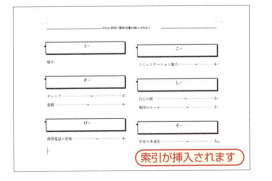

SECTION　キーワード▶ヘッダー／フッターの表示　サンプル番号　09sec89

# 89 ヘッダー・フッターにページ数や情報を表示させよう

書類の余白にタイトルを挿入したり、ページ番号を表示したりしたい場合は、ヘッダーやフッターを挿入しましょう。ヘッダーやフッターに情報を挿入すると、文書を読む際の目安となったり、日付やタイトルなどの記録を残したりすることができて便利です。

## ページ上部に章タイトルを表示する

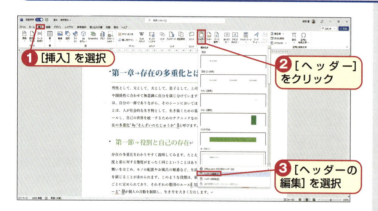

 **手順1　ヘッダー領域を編集可能にする**

［挿入］タブを選択し、［ヘッダー］をクリックして表示されるメニューで［ヘッダーの編集］を選択します。

 **メモ　ヘッダーとは**

「ヘッダー」は、各ページの先頭にある文書のタイトルや日付などの情報を挿入できる領域です。ヘッダーを挿入すると、文書を読む際の目安となったり、印刷して文書を仕分けたりする場合などに便利です。

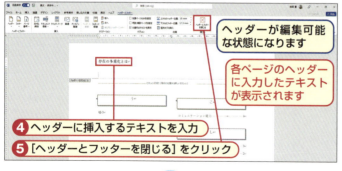

 **手順2　ヘッダーのテキストを入力する**

ヘッダーが編集可能な状態になるので、ヘッダーに表示するテキストを入力し、［ヘッダーとフッターを閉じる］をクリックします。

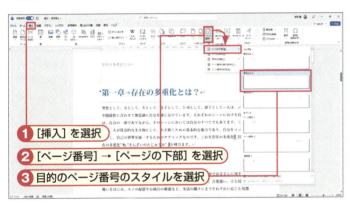

 **ヘッダーを編集する**

　ヘッダーを後から変更するには、[挿入]タブを選択し、[ヘッダー]ボタン→[ヘッダーの編集]を選択すると、ヘッダーが編集可能な状態になるので情報を変更します。編集が終わったら、[ヘッダーとフッターを閉じる]ボタンをクリックして変更を保存します。

## ページ下部にページ番号を挿入する

 **ページ番号を挿入する**

　[挿入]タブを選択し、[ページ番号]をクリックして、[ページの下部]をポイントすると表示されるメニューでページ番号のスタイルを選択します。

 **フッターを利用しよう**

　フッターは、各ページの末尾にあるページ番号やタイトルなどの情報を挿入できる領域です。多くの場合フッターには、ページ番号やセクションタイトルなど、読む際に目安となる情報を記載します。なお、ここではフッターにページ番号を表示させる手順を解説していますが、それ以外の情報を記載する場合は、[フッター]ボタンのメニューで[フッターの編集]を選択して、フッターに任意のテキストを入力します。

 **ヘッダーやフッターに複数の情報を表示させる**

　ヘッダーに文書のタイトルと日付、作者名など複数の情報を掲載したい場合は、[挿入]リボンで[ヘッダー]ボタンをクリックし、表示されるテンプレートの一覧で、複数の入力欄のあるテンプレートを選択します。フッターの場合も同様に複数の入力欄のあるテンプレートを選択します。

SECTION　キーワード▶ふりがなの表示　　サンプル番号　09sec90

# 90 ふりがなを表示しよう

読みづらい単語や名前には、ふりがなを振っておくとよいでしょう。単語や名前にふりがなを振るには、[ルビ] ダイアログボックスを利用し、読み方やふりがなの表示方法などを設定します。また、文書中のすべての同じ単語にふりがなをまとめて設定することもできます。

## ふりがなを表示する

### 手順1　[ルビ] ダイアログボックスを表示する

[ホーム] タブを選択し、ふりがなを表示する文字列を選択して、[ルビ] 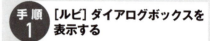 をクリックし、[ルビ] ダイアログボックスを表示します。

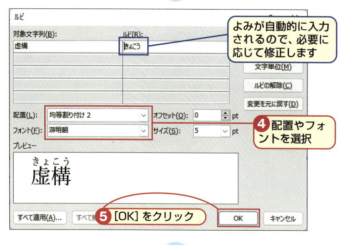

### 手順2　ふりがなを設定する

読みが自動入力されるので確認し、必要な場合は編集します。[配置] でふりがなの配置を選択し、[フォント] でフォントの種類を、[サイズ] でふりがなのサイズを選択して、[OK] をクリックします。

### 便利技　ふりがなの表示を解除する

ふりがなの表示を解除するには、左の手順で [ルビ] ダイアログボックスを表示し、[ルビの解除] ボタンをクリックします。

## 同じ単語にまとめてフリガナを振る

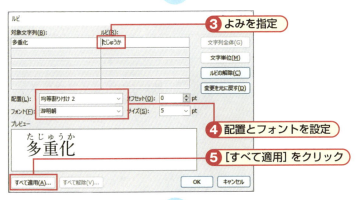

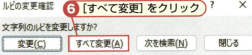

 **手順1** [ルビ] ダイアログボックスを表示する

[ホーム] タブを選択し、ふりがなを表示する文字列を選択して、[ルビ]  をクリックし、[ルビ] ダイアログボックスを表示します。

**手順2** 同じ単語すべてにふりがなを設定する

[ルビ] で読みを設定し、[配置] でふりがなの配置を、[フォント] でフォントの種類を設定して、[すべて適用] をクリックします。

**注意** ふりがなを設定する際の注意点

ふりがなを振ると、ふりがなの高さだけ、行間が広がります。多くの単語にふりがなを振りすぎると、文書全体のバランスが悪くなるため注意が必要です。

 **手順3** [すべて変更] をクリックする

ページ内の同じふりがなを設定する文字列が抽出されるので、[すべて変更] をクリックして、それらすべてにふりがなを設定します。

---

 **裏技　ふりがなの配置を指定する**

・中央揃え　　　　亜米利加合衆国
・均等割り付け1　亜米利加合衆国
・均等割り付け2　亜米利加合衆国
・左揃え　　　　　亜米利加合衆国
・右揃え　　　　　亜米利加合衆国

[ルビ] ダイアログボックスでは、ふりがなの配置を設定することができます。ふりがなの配置を設定するには、[ルビ] ダイアログボックスを表示し、[配置] で次の5種類から目的の配置を指定します。

SECTION キーワード ▶ 特殊文字の入力　　サンプル番号　09sec91

# 91 特殊な文字を入力してみよう

手順解説動画

㊙や㈱など特殊な文字は、[囲い文字] ダイアログボックスや [組み文字] ダイアログボックスを利用して入力することができます。また数式は、[数式入力コントロール] を使って手書きで書き込むことができます。

## 囲み文字を入力する

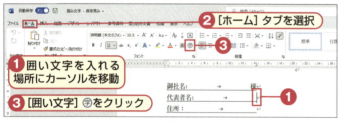

❶ 囲い文字を入れる場所にカーソルを移動
❷ [ホーム] タブを選択
❸ [囲い文字] ㊥ をクリック

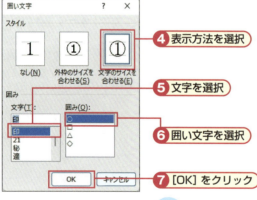

❹ 表示方法を選択
❺ 文字を選択
❻ 囲い文字を選択
❼ [OK] をクリック

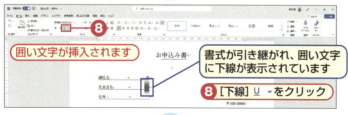

囲い文字が挿入されます
書式が引き継がれ、囲い文字に下線が表示されています
❽ [下線] U ▾ をクリック

**[囲い文字] ダイアログボックスを表示する**

囲い文字を挿入する位置をクリックし、[ホーム] タブを選択して、[囲い文字] ㊥ をクリックします。

**囲い文字の詳細を設定する**

[スタイル] で囲い文字の表示方法 (便利技参照) を選択し、[文字] で囲む文字を指定して、[囲み] で囲む図形の形を選択し [OK] をクリックします。

**囲い文字のスタイルを選択する**

　[囲い文字] ダイアログボックスの [スタイル] にある [外枠のサイズを合わせる] は、囲いの枠を文字の高さに合わせるため、文字が窮屈に表示されることがあります。[文字のサイズを合わせる] は、枠の内側の文字を他の文字の高さに合わせるため大きく表示されます。

**下線を解除する**

　手順2で囲い文字のスタイルに [文字のサイズに合わせる] を選択したため、下線が下にずれています。囲い文字を選択し、[下線] U ▾ をクリックして下線を解除します。

下線が非表示になりました

## 組み文字を挿入する

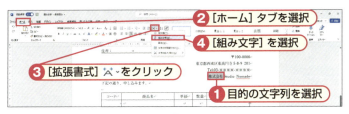

1. 目的の文字列を選択
2. [ホーム] タブを選択
3. [拡張書式] をクリック
4. [組み文字] を選択

5. フォントを選択
6. サイズを選択
7. [OK] をクリック

テキストが組み文字で表示されます

 **手順1** [組み文字] ダイアログボックスを表示する

組み文字に変換する文字列を選択し、[ホーム] タブを選択して、[拡張書式] をクリックし [組み文字] を選択して [組み文字] ダイアログボックスを表示します。

 **手順2** 組み文字を設定する

対象となる文字列を確認し、[フォント] でフォントの種類を、[サイズ] でフォントサイズを選択して [OK] をクリックします。

 **メモ** 組み文字とは

「組み文字」は、「株式会社」や「メートル」など定型の文字列を2段で1文字の幅に納める表示方法です。Wordでは、1文字の幅に6文字までの組み文字を作成できます。

### 裏技 割注を挿入する

「割注」とは、1行の高さに小さな文字で挿入される注釈のことです。割注を挿入するには、割注として表示したい文章を選択し、[ホーム] リボンにある [拡張書式] ボタン → [割注] を選択すると表示される [割注] ダイアログボックスで [括弧で囲む] をオンにし、[OK] ボタンをクリックします。

# 縦書きの中の数字を縦書きに切り替える

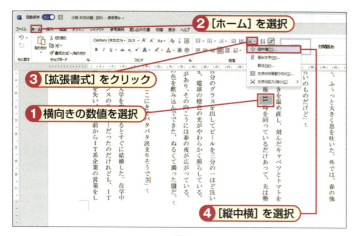

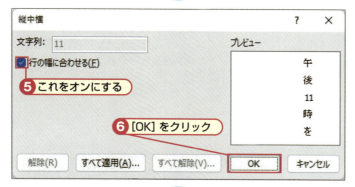

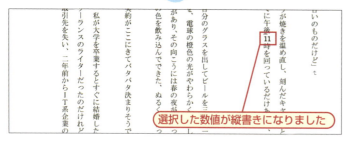

### [縦中横] ダイアログボックスを表示する

縦書きの文章中にある横向きの数字を選択し、[ホーム] タブを選択して、[拡張書式] をクリックすると表示されるメニューで [縦中横] を選択します。

### 縦中横を設定する

[行の幅に合わせる] をオンにし、[OK] をクリックします。

### 裏技 縦書きの中の数値を縦書きに切り替える

縦書きの中のアルファベットや数字を縦書きで表示させること、またはその機能を「縦中横」といいます。縦書きの文章中にある横向きの数値やアルファベットは、縦中横で縦書きに切り替えましょう。

### 便利技 同じ文字列を一度に縦書きにする

縦書きの文章中の複数の個所に、同じ横向きの文字列がある場合、一度の操作でそれらに縦中横を適用できます。目的の文字列を選択し、この手順に従って [縦中横] ダイアログボックスを表示して、[すべて適用] をクリックし、表示される画面で [すべて変更] をクリックします。

# 数式を入力する

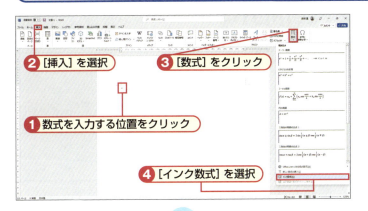

 **[数式入力コントロール] を表示する**

数式を入力する位置をクリックし、[挿入] タブを選択して、[数式] をクリックすると表示されるメニューで [インク数式] を選択します。

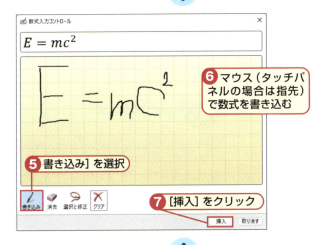

 **数式を書き込む**

[書き込み] を選択し、マウスや指先で数式を書き込んで、[挿入] をクリックします。

 **数式を入力する**

数式には分数やべき乗などがあるため、通常の入力機能では対応が難しい部分があります。Wordでは、複雑な数式でも手書きした文字列をフォントに置き換えられる [数式入力コントロール] を利用して簡単に入力できます。

SECTION キーワード ▶ 翻訳機能　　　　サンプル番号　09sec92

# 92 文書を外国語に翻訳してみよう

グローバル化が進むにつれて、書類も日本語版だけでなく、英語版や中国語版、韓国語版を用意する必要性が高まってきています。Wordでは、[翻訳]機能が追加され、日本語から英語はもちろんさまざまな言語への翻訳が可能になっています。

## 日本語を翻訳して入力する

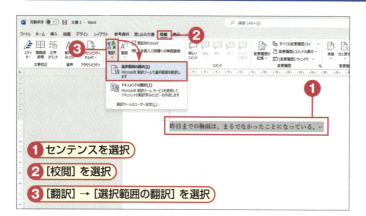

① センテンスを選択
② [校閲]を選択
③ [翻訳]→[選択範囲の翻訳]を選択

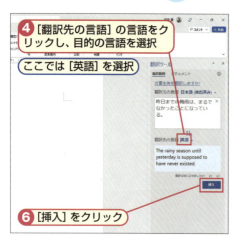

④ [翻訳先の言語]の言語をクリックし、目的の言語を選択
　ここでは[英語]を選択
⑥ [挿入]をクリック

 **センテンスを英語に翻訳する**

目的のセンテンスを選択し、[校閲]タブを選択して、[翻訳]→[選択範囲の翻訳]を選択します。

 **Wordの翻訳機能**

Wordには、マイクロソフトが運営する翻訳サービス「Microsoft Translator」を利用した翻訳機能が用意されています。翻訳機能では、日本語から別の言語への翻訳はもちろん、60を超える言語を自由に翻訳することができます。

 **センテンスを翻訳する**

[翻訳先の言語]の言語名をクリックすると表示される一覧で翻訳先の言語を選択し、[挿入]をクリックします。

翻訳が挿入されます

## 文書全体を翻訳する

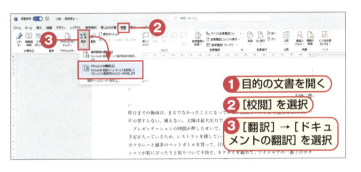

1. 目的の文書を開く
2. [校閲] を選択
3. [翻訳] → [ドキュメントの翻訳] を選択

4. [翻訳先の言語] の言語名をクリックして言語を選択
5. [翻訳] をクリック

翻訳が実行されます

goblin

Yutaka Yoshioka

The rainy season until last day is supposed to have never existed. There are no clouds in the sky seen from the bench in the park. There is no wind. The sun roasts Koji Saito at maximum output.

Because the time of the presentation pressed, it is finally possible to find lunch. However, there is no time to look for a restaurant because the next schedule is included. I quickly bought chicken cutlet curry and a plastic bottle of green tea at a convenience store and sat on this bench in the sun. Sweat makes the shirt snug on to the skin and is uncomfortable. Loosen the tie and remove the top button on the shirt. I regretted that I should have made it chilled Chinese while opening the lid of the lunch box.

---

### メモ 選択範囲を翻訳する

選択した範囲の文章を翻訳したいときは、目的の文章を選択し、[校閲] タブを選択して、[翻訳] ボタン→[選択範囲の翻訳] を選択すると、[翻訳ツール] 作業ウィンドウが表示されるので、翻訳先の言語を選択し翻訳を実行します。

### 手順1 [翻訳ツール] 作業ウィンドウを表示する

目的の文書を開き、[校閲] タブを選択して、[翻訳] → [ドキュメントの翻訳] を選択すると、[翻訳ツール] 作業ウィンドウが表示されます。

### 手順2 翻訳先の言語を指定する

[翻訳先の言語] の言語名をクリックすると表示される一覧で目的の言語を選択し、[翻訳] をクリックします。

SECTION　キーワード▶文書の共有　　　　サンプル番号　09sec93

# 93 文書を共有しよう

Word 2021では、共同編集している相手の名前を確認したり、編集している個所をマーカーで表示できたりするなど、他のユーザーとの共同編集機能が強化されました。共同編集の工程を容易に管理できるようになり、安心して作業を進められます。

## 文書を他のユーザーと共有する

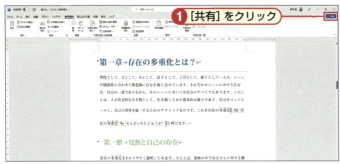

 **手順1** [共有] ダイアログボックスを表示する

目的の文書を開き、リボンの右上にある [共有] をクリックして、[共有] ダイアログボックスを表示します。

 **メモ** 文書を共有する

Wordでは、OneDriveに保存された文書を他のユーザーと共有し、共同編集することができます。共有された文書は、複数のユーザーと同時に編集することができ、その変更はリアルタイムに反映されます。また、変更箇所ごとに編集したユーザー名を確認でき、編集の管理も適切に行えます。

 **手順2** 文書の保存先を指定する

[OneDrive-個人用] をクリックして、文書の保存先を指定します。

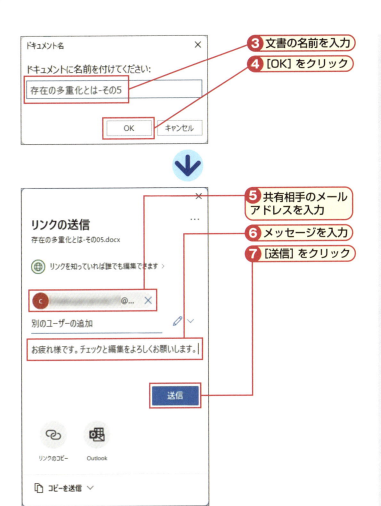

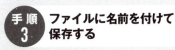
**手順3** ファイルに名前を付けて保存する

ファイル名を入力して[OK]をクリックし、保存します。

**手順4** ファイルへのリンクを送信する

共有相手のメールアドレスとメッセージを入力し、[送信]をクリックします。

---

 **特定のユーザーと文書を共有する**

上の手順では、文書のURLを知っていれば、誰でも文書を開けます。特定のユーザーとのみ文書を共有したいときは、手順4の図で目的の相手のメールアドレスを入力し、[リンクを知っていれば誰でも編集できます]をクリックして、表示される画面で[特定のユーザー]を選択して、[編集を許可する]をオンにし[適用]をクリックします。なお、特定のユーザーと共有する場合、相手がマイクロソフトアカウントを取得している必要があります。

[特定のユーザー]をクリックし、[編集を許可する]をオンにして[適用]をクリックします

## 文書を共同編集する

共有相手にはこのような
メールが届きます

 [開く] をクリック

**手順1　文書を開く**

届いたメールを表示し、[開く] をクリックします。

Webブラウザが起動し、文書が開きます

 [ドキュメントの編集] をクリック
 [編集] を選択

**手順2　文書を編集可能にする**

Webブラウザが起動し、文書が開かれます。[ドキュメントの編集] をクリックし、[編集] を選択します。

 [続行] をクリック

**手順3　マイクロソフトアカウントにサインインする**

[続行] をクリックし、マイクロソフトアカウントにサインインします。

マイクロソフトアカウントにログインされ編集可能になります

共有元では、共有先の相手が文書を開いたことが通知されます

300

## 共有相手と共同編集する

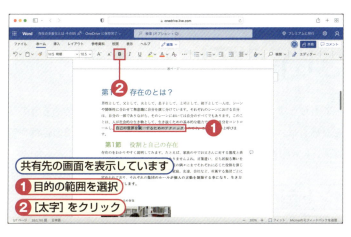

共有先の画面を表示しています
1 目的の範囲を選択
2 [太字] をクリック

 **手順1 文字列を太字に設定する**

目的の文字列を選択し、[ホーム] タブを選択して、[太字] をクリックします。

共有元の文書にも編集が反映されます
3 紫のマーカーをクリック

この位置を編集しているユーザー名が表示されます

 **手順2 編集者名を確認する**

他のユーザーによる編集がすぐに反映されます。また、他のユーザーが編集している箇所にはマーカーが表示されるので、マーカーをクリックして名前を確認します。

SECTION　キーワード▶変更履歴／コメント　サンプル番号　09sec94

# 94 変更履歴とコメントを使ってミスのない書類にしよう

Wordを第三者に校閲してもらう場合、印刷したものに修正指示を書き込んでもらうのは手間がかかります。こんな場合は、コメント機能を利用しましょう。また、指摘の処理や質問などがある場合は、コメントで報告や相談をしてみましょう。

## コメントを挿入する

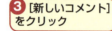

 **コメントを作成する**

目的の文字列を選択し、[校閲] タブを選択して、[新しいコメント] をクリックします。

**メモ　コメントを使ってみよう**

コメントとは、文書に指摘や質問などをメモとして書き込める機能です。コメントには返信機能も用意されているので、コメントをやり取りして、内容の修正や検証を進めることもできます。

 **コメントを入力する**

コメント欄が表示されるので、コメントを入力します。入力したコメントは、ほとんどリアルタイムに共同編集者の画面にも表示されます。

# コメントに返答する

共有先のユーザーがWordファイルを開いています

追加されたコメントは、のアイコンで表示されます

❶ をクリック

コメントを確認します

❷ 返信用のコメントを入力

❸ ［送信］をクリック

共有元のユーザーの画面です

コメントの返信が表示されます

 **手順1　コメントの内容を確認する**

共同編集者からコメントが届くと、該当箇所の右側にコメントのアイコンが表示されるので、クリックして内容を確認します。

 **手順2　コメントに返信する**

コメントが表示されるので確認し、返信用のコメントを入力して、［送信］をクリックします。

 **便利技　コメントを削除する**

挿入したコメントを削除したい場合は、目的のコメントを選択し、［校閲］タブの［コメント］グループにある［削除］ボタンをクリックするか、目的のコメントを右クリックし、ショートカットメニューから［コメントの削除］を選択します。

---

 **文書を集中して読みたい**

　レポートや論文、小説など、文字数が多い文書を集中して読みたいときは、「イマーシブリーダー」を利用するとよいでしょう。イマーシブリーダーは、指定した行数のみをハイライト表示できる機能です。イマーシブリーダーを利用するには、［表示］タブを選択し、［イマーシブリーダー］をクリックして、［行フォーカス］をクリックすると表示される一覧で、ハイライト表示にする行数を選択します。

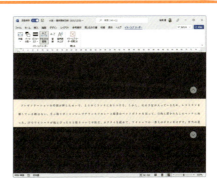

イマーシブリーダーを利用すると、読みたい部分をハイライト表示することができます

SECTION　キーワード▶変更履歴チェック／校閲　サンプル番号　09sec95

# 95 変更履歴を利用して文書をチェックしよう

共同編集で各ユーザーによる変更箇所を確認しながら作業を進めたいときは、変更履歴を記録しましょう。変更履歴の記録を有効にすると、作業者の名前、時間、変更内容が確認できるようになり、ミスや不要な編集を防ぐことができます。

## 変更履歴を記録する

① ［校閲］を選択
② ［変更履歴の記録］をクリック

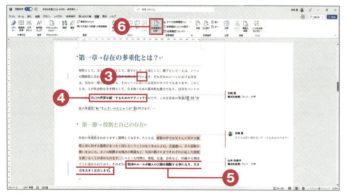

③ 「演じ分けています」の「てい」を削除
④ 太字に設定
⑤ 太字に設定
⑥ ［変更履歴の記録］を再度クリック
変更履歴の記録が終了します

### 手順1　変更履歴の記録を開始する

［校閲］タブを選択し、［変更履歴の記録］をクリックすると、変更履歴の記録が開始されます。

### 便利技　文書を校閲しよう

「校閲」とは、原稿の内容の誤りや不備を調べ、検討してから訂正することで、通常、第三者が行います。Wordには、修正を記録し、後からその修正を検討して、訂正できる「変更履歴の記録」機能が用意されています。「変更履歴の記録」機能を利用して、適切な修正だけを実行しましょう。

### 手順2　変更履歴の記録を終了する

文書を編集し終わったら、再度［変更履歴の記録］をクリックして変更履歴の記録を終了します。

# 校正を文書に反映する

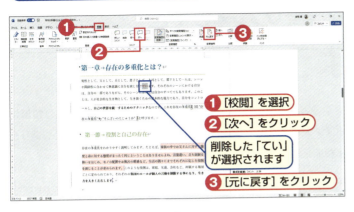

 **変更を元に戻す**

[校閲] タブを選択し、[次へ] をクリックすると、変更された箇所が選択されます。変更内容を確認し、適切でない場合は [元に戻す] をクリックして変更を無効にします。

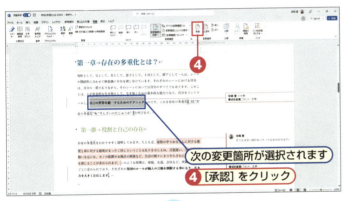

 **変更を承認する**

次の変更箇所が選択されるので、変更内容を確認し、適切であれば [承認] をクリックします。なお、編集者名と時間、変更内容は、変更箇所の右側のコメントに表示されています。

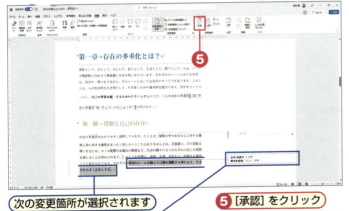

SECTION キーワード ▶ 文書比較　サンプル番号　09sec96

# 96 2つの文書の違いを比較しよう

オフィスでは、オリジナルの書類をコピーし、手を加えて使いまわすということが頻繁に行われます。しかし、オリジナルとコピーの違いを確認しなければならないこともあります。この場合は、[比較] 機能を利用して2つの文書を比較しましょう。

## 2つの文書を比較する

[校閲] を選択
[比較] をクリック
[比較] を選択

手順1 [文書の比較] ダイアログボックスを表示する

[校閲] タブを選択し、[比較] をクリックすると表示されるメニューで [比較] を選択して [文書の比較] ダイアログボックスを表示します。

[元の文書] の 📁 をクリック

手順2 [元の文書] の選択画面を表示する

[元の文書] の 📁 をクリックして、文書を選択する画面を表示します。

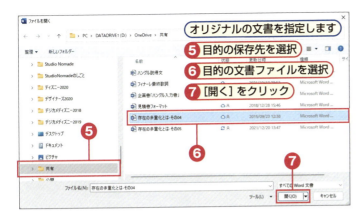

 オリジナルの文書を指定します
⑤ 目的の保存先を選択
⑥ 目的の文書ファイルを選択
⑦ [開く] をクリック

### 手順3 オリジナル文書を開く

オリジナル文書の保存先を選択し、目的のファイルを選択して、[開く] をクリックしてオリジナル文書を指定します。

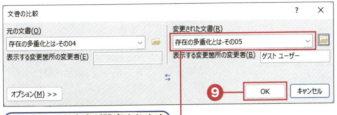

 変更後の文書を指定する

### 手順4 変更後の文書を指定する

オリジナル文書の指定方法と同じ方法で[変更された文書] に変更後の文書を指定し、[OK] をクリックします。

オリジナルの文書が設定されます
⑧ 同様の手順で [変更された文書] を指定
⑨ [OK] をクリック

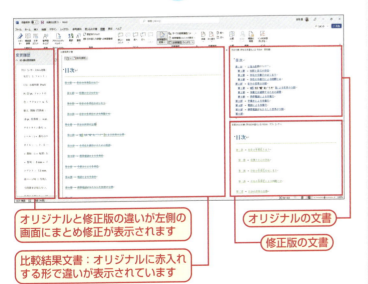

オリジナルと修正版の違いが左側の画面にまとめ修正が表示されます

比較結果文書：オリジナルに赤入れする形で違いが表示されています

オリジナルの文書

修正版の文書

9 効率的に書類を作成するためのテクニック

SECTION　キーワード▶ミスの修正　　サンプル番号　09sec97

# 97 文章をチェックして修正しよう

Wordでは、スペルミスや文法的なミスを抽出し、指摘する機能があります。修正候補から選択するだけで、ミスを正確にすばやく修正できます。これらのチェック・修正機能の操作を覚えて、ミスの少ない文書を作成しましょう。

## 自動的に抽出されたミスを修正する

明らかな間違いは赤の波線で表示されます

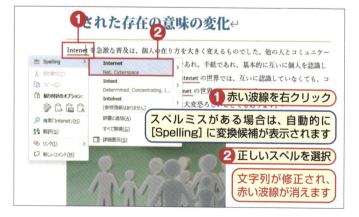

① 赤い波線を右クリック

スペルミスがある場合は、自動的に [Spelling] に変換候補が表示されます

② 正しいスペルを選択

文字列が修正され、赤い波線が消えます

### 便利技　オートコレクトを利用して修正する

オートコレクトは、文中のスペルミスや文法的なミスをチェックし、表示・修正する機能です。文中のミスがある部分には赤い波線が、用語の揺れや「ら抜き表現」など正した方がよい箇所には青の波線が表示されます。これらを編集のヒントにして、ミスのない文書を作成しましょう。

### 手順1　スペルミスを修正する

赤い波線の個所を右クリックすると、自動的にメニューの [Spelling] が選択され、変換候補が表示されるので、正しいスペルを選択します。

# 表記ゆれを修整する

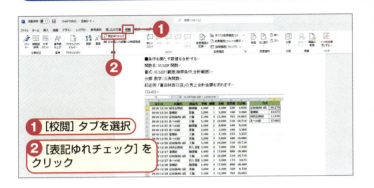

① [校閲] タブを選択
② [表記ゆれチェック] をクリック

 **[表記ゆれチェック] ダイアログボックスを表示する**

[校閲] タブを選択し、[表記ゆれチェック] をクリックすると、[表記ゆれチェック] ダイアログボックスが表示されます。

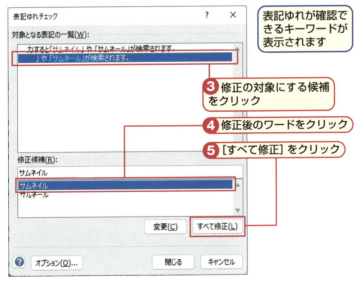

表記ゆれが確認できるキーワードが表示されます

③ 修正の対象にする候補をクリック
④ 修正後のワードをクリック
⑤ [すべて修正] をクリック

 **表記のゆれを統一する**

[対象となる表記の一覧] で修正対象となるキーワードを選択し、[修正候補] で修正後のワードを選択して、[すべて修正] をクリックします。

 **表記の揺れを修正する**

「フォルダー」と「フォルダ」は同じ意味で、どちらも一般的に通じますが、同じ文書内で記述が統一されていないと、読む人が困惑することがあります。これを「表記のゆれ」といいます。表記のゆれを読みながら確認するのは手間がかかります。[校閲] リボンにある [表記のゆれチェック] 機能を利用して手際よく修正しましょう。

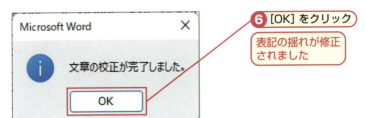

⑥ [OK] をクリック
表記の揺れが修正されました

効率的に書類を作成するためのテクニック

309

SECTION　キーワード▶文書の保護　サンプル番号　09sec98

# 98 文書を保護しよう

見積書や請求書など、フォーマットとしては変更して欲しくないけれども、金額や請求先など部分的には編集してもらいたい書類には、編集の制限を設定しましょう。編集の制限では、編集可能な範囲を指定して保護を設定できます。

## 編集可能な範囲を指定して文書を保護する

① [校閲] を選択
② [編集の制限] をクリック
③ [ユーザーに許可する編集の種類を指定する] をオンにする
④ [変更不可（読み取り専用）] を選択

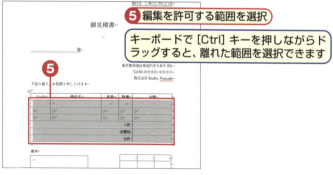

⑤ 編集を許可する範囲を選択
キーボードで [Ctrl] キーを押しながらドラッグすると、離れた範囲を選択できます

**手順1** 許可する編集の種類を指定する

[校閲] タブを選択し、[編集の制限] をクリックすると、[編集の制限] 作業ウィンドウが表示されるので、[ユーザーに許可する編集の種類を指定する] をオンにし、[変更不可（読み取り専用）] を選択します。

**便利技** 編集の制限を設定する

[校閲] リボンにある [編集の制限] は、編集可能な範囲を制限する機能です。会社の書類でフォーマットが決まっている文書や改ざんされると困る見積書などで、編集してもいい箇所を指定する場合などに利用します。編集の制限を利用して、データの漏洩や改ざんなどを未然に防ぎましょう。

**手順2** 編集を許可する範囲を指定する

キーボードで [Ctrl] キーを押しながらドラッグし、編集可能な範囲を選択します。

### 手順 3　編集を許可する対象を指定する

［すべてのユーザー］をオンにして、すべてのユーザーが編集できるように設定し、［はい、保護を開始します］をクリックします。

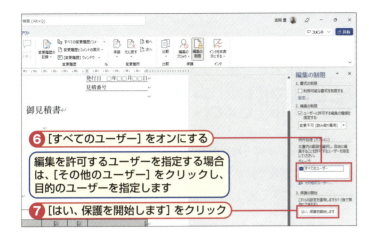

❻ ［すべてのユーザー］をオンにする

編集を許可するユーザーを指定する場合は、［その他のユーザー］をクリックし、目的のユーザーを指定します

❼ ［はい、保護を開始します］をクリック

### 手順 4　文書開くためのパスワードを設定する

文書を開くためのパスワードを入力し、確認のために再度同じパスワードを入力して、［OK］をクリックします。

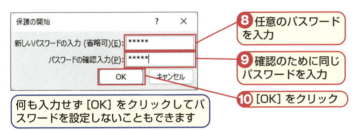

❽ 任意のパスワードを入力

❾ 確認のために同じパスワードを入力

❿ ［OK］をクリック

何も入力せず［OK］をクリックしてパスワードを設定しないこともできます

選択した範囲以外は変更できないように保護されました

### 便利技　例外処理を設定する

［編集の制限］作業ウィンドウの［例外処理（オプション）］では、例外的に編集を許可する範囲とユーザーを指定します。文書のうち編集を許可する範囲を指定する場合は、文書中の編集を許可する範囲を選択し、［例外処理（オプション）］で例外処理を適用するユーザーを指定します。

### メモ　［編集の制限］作業ウィンドウの設定

　［編集の制限］作業ウィンドウでは、編集を許可する範囲とユーザーを指定します。［書式の制限］では、文書に設定されている書式のうち編集を許可する書式を指定します。書式の編集を許可しない場合はオンにし、許可する書式を選択しません。［編集の制限］では、許可する編集の種類を指定し、下記の種類があります。

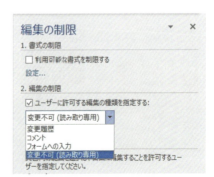

［変更履歴］：変更履歴を記録する条件で編集を許可する
［コメント］：コメントの挿入のみを許可する
［フォームへの入力］：フォームへの入力のみを許可する
［変更不可（読み取り専用）］変更を許可しない

SECTION キーワード ▶ 差し込み印刷／ラベル印刷　サンプル番号 09sec99

# 99 差し込み印刷でラベルを印刷しよう

封筒やはがきに宛先を手書きすると、手間と時間がかかる上、書き損じて封筒やはがきを無駄にしてしまうこともあります。封筒やはがきへの宛名書きは、差し込み印刷の機能を利用してラベルを作成し、手際よく作業しましょう。

## ラベルに宛先を印刷する

❶ [差し込み文書] を選択
❷ [宛先の選択] をクリック
❸ [既存のリストを使用] を選択

 **手順1** 住所録の選択画面を表示する

[差し込み文書] タブを選択し、[宛先の選択] をクリックすると表示されるメニューで [既存のリストを使用] を選択します。

 **便利技** Excelで住所録を作成する

ラベルなどの差し込み印刷する場合、Excelであらかじめ住所録を作成しておきましょう。住所録は、各列の1行目に項目名を入力し、1行のデータが1つのまとまり（レコード）になるようデータを入力します。

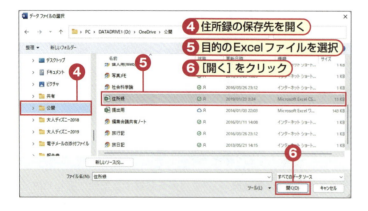

❹ 住所録の保存先を開く
❺ 目的のExcelファイルを選択
❻ [開く] をクリック

 **手順2** 住所録ファイルを選択する

住所録の保存先を開き、目的のファイルを選択して [開く] をクリックします。

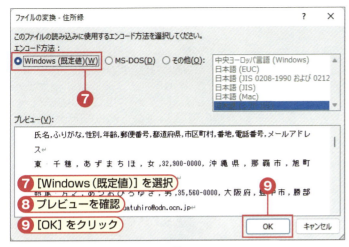

 データを読み込む

[Windows（既定値）]を選択して、[OK]をクリックするとExcelのデータが読み込まれます。

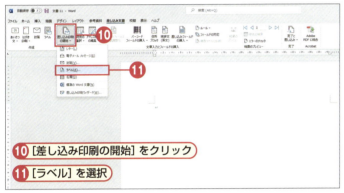

 [ラベルオプション]ダイアログボックスを表示する

[差し込み印刷の開始]をクリックし、[ラベル]を選択して[ラベルのオプション]ダイアログボックスを表示します。

**便利技　封筒にデータを差し込む**

封筒に宛先を印刷する場合は、手順4の図で[封筒]を選択すると、[封筒オプション]ダイアログボックスが表示されるので、封筒の種類やレイアウトを指定し、手順6以降の手順でデータを差し込みます。

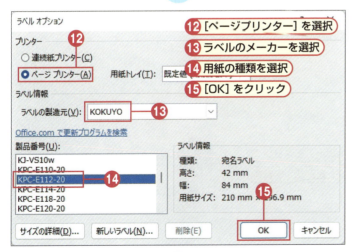

 ラベルの詳細を指定する

[プリンター]で[ページプリンター]を選択し、[ラベルの製造元]でメーカーを選択して、[製品番号]で目的のラベルの番号を選択し、[OK]をクリックします。

9 効率的に書類を作成するためのテクニック

 **郵便番号のデータを差し込む**

編集画面に指定したラベルのレイアウトが表示されるので、先頭のラベルをクリックし、「〒」を入力します。[差し込みフィールドの挿入] をクリックし、[郵便番号] を選択します。

 **住所と氏名のデータを差し込む**

同様の手順で住所と氏名のデータを差し込み、<<氏名>>の後にスペースと「様」を入力します。

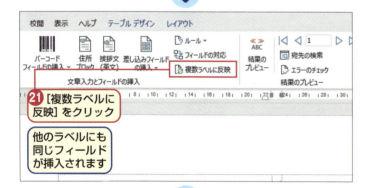

 **他のラベルに設定を適用する**

[複数のラベルに反映] をクリックして、1つ目のラベルの設定を他のラベルに適用します。

 **データを表示する**

[結果のプレビュー] をクリックし、実際のデータを表示して内容を確認します。

# 手順項目索引

本書で解説している手順を一覧にしました。五十音順になっていますので、やりたい操作が見つけやすくなっており、逆引き事典としても使えます。

## ●英数字

| 項目 | ページ |
|---|---|
| 1行の文字数と行数を設定する | 83 |
| 1つ前の状態に戻す | 115 |
| 2つの書式を統合して貼り付ける | 131 |
| 2つの文書を比較する | 306 |
| 3Dモデルを挿入する | 263 |
| Backstageビューの[印刷]画面を確認する | 92 |
| Excelとの連携でWordの苦手な領域をカバー | 33 |
| Excelの表とWordの表を関連付けて貼り付ける | 201 |
| Excelの表をWordで活用する | 199 |
| Excelの表を画像として貼り付ける | 200 |
| Excelの表をそのままWordに貼り付ける | 199 |
| Microsoft365には1TBのオンラインストレージが用意される | 30 |
| Office 2021とMicrosoft365の違い | 28 |
| Office2021とMicrosoft365のどちらを選ぶ | 31 |
| Office2021のサポート期間は約5年間 | 30 |
| Office2021は機能が追加されない | 29 |
| PowerPointとの連携でプレゼン作成も効率アップ | 33 |
| QRコードを挿入する | 267 |
| SmartArtで複雑な図を作成する | 256 |
| Word2021とは？ | 38 |
| Word2021の新機能をチェック | 24 |
| Wordではこんな書類が作れる | 38 |
| Wordの画面構成 | 44 |
| Wordの機能を利用する | 46 |
| Wordの操作をトレーニングしてみよう | 52 |
| Wordを起動します | 40 |
| Wordを終了します | 41 |

## ●あ行

| 項目 | ページ |
|---|---|
| アイコンを挿入しよう | 228 |
| アウトラインモードを閉じる | 273 |
| アウトラインモードを利用して文書の骨組みを作る | 270 |
| アクションペンで文字列を削除する | 232 |
| アクションペンで文字列を選択する | 232 |
| 新しい文書を作成します | 76 |
| アルファベットを入力する | 65 |
| イラストも写真もバランスよく表示できる | 39 |
| インクでの書き込みを再生する | 233 |
| [印刷]画面の機能 | 92 |
| 印刷結果を印刷前に確認する | 93 |
| 印刷の向きを設定する | 78 |
| 印刷プレビューを拡大する | 93 |
| インストールの概念が違う | 29 |
| インデントで段落の開始位置を調節 | 149 |
| インデントとは | 149 |
| インデントの種類 | 149 |
| インデントを利用して段落の位置を調節する | 151 |
| [インデントを増やす]ボタンを利用して左端を調節する | 152 |
| ウインドウ操作を使いこなして作業効率を上げる | 48 |
| ウインドウを切り替える | 48 |
| ウインドウを並べて表示する | 49 |
| 後ろの文字を削除する | 109 |
| 上書き保存したかどうかを気にしなくて済む！ | 24 |
| 同じ項目の文字列を右端で揃える | 154 |
| 同じ単語にまとめてフリガナを振る | 291 |

## ●か行

| 項目 | ページ |
|---|---|
| カーソルをセル内の文字間で移動させる | 168 |
| 改行を使いこなして文書の体裁を整える | 102 |
| 確定後の文字列を再変換する | 111 |
| 囲み文字を入力する | 292 |
| カッコ文字を入力する | 68 |
| 漢字を入力する | 60 |
| 簡単な図形を描く | 214 |
| キーワードを他のキーワードに置き換える | 118 |
| キーワードをマーカーで強調する | 127 |
| 記号や特殊文字を挿入する | 67 |
| 既存のスタイルを編集する | 276 |
| 既存のフォントとフォントサイズを変更する | 122 |
| 既定の文字列の折り返しを変更する | 238 |
| 行・列の高さ／幅を調整する | 179 |
| 行間とは？ | 156 |
| 行間の呪縛から解放されよう | 35 |
| 行頭文字の箇条書きを設定する | 138 |
| 行と列を追加する | 172 |
| 行の間隔を設定する | 156 |
| 行の先頭・末尾にカーソルを移動する | 99 |
| 行の先頭・末尾のセルにカーソルを移動する | 167 |
| 行や列をコピー／移動する | 177 |

| 共有相手と共同編集する ……………………… 301
| 行を削除する …………………………………… 173
| 行を選択する …………………………………… 169
| 組み文字を挿入する …………………………… 293
| グラフの値を変更する ………………………… 204
| グラフの構成を覚えておこう ………………… 202
| グラフの参照範囲を変更する ………………… 205
| グラフの種類を変更する ……………………… 209
| グラフのスタイルを変更する ………………… 208
| グラフのデータを入力する …………………… 203
| グラフのデザインを変更する ………………… 207
| グラフの要素の表示／非表示を切り替える … 210
| グラフのレイアウトを変更する ……………… 207
| グラフを作成する ……………………………… 202
| グラフを作成する ……………………………… 202
| 罫線のスタイルを変更する …………………… 189
| 検索と置換を活用する ………………………… 117
| 校正を文書に反映する ………………………… 305
| 項目を均等割り付けで配置する ……………… 136
| 越えていこう！インデントの壁 ……………… 35
| コピーした範囲を図として貼り付ける ……… 132
| コピーの貼り付け方を使いこなして効率アップ … 130
| コメントに返答する …………………………… 303
| コメントを挿入する …………………………… 302

## ●さ行

| 索引の用語を登録する ………………………… 286
| 索引を作成する ………………………………… 286
| 索引を挿入する ………………………………… 287
| 差し込み印刷でラベルを印刷する …………… 312
| 差し込み印刷をさまざまな業務に使ってみよう … 36
| 四角形を描く …………………………………… 215
| 親しみやすいデザイン ………………………… 24
| 下線を設定する ………………………………… 124
| 指定した位置に文字列を追加する …………… 110
| 指定したキーワードを検索する ……………… 117
| 始点と終点を指定して範囲を選択する ……… 106
| 自動的に抽出されたミスを修正する ………… 308
| 写真にスタイルを適用する …………………… 251
| 写真にスタイルを適用する …………………… 255
| 写真の明るさと色を変更する ………………… 248
| 写真の色を修整する …………………………… 249
| 写真の配置を調整する ………………………… 246
| 写真を加工する ………………………………… 248
| 写真を加工する ………………………………… 250
| 写真を切り抜く ………………………………… 252
| 写真を挿入する ………………………………… 245
| 斜体を設定する ………………………………… 124
| 縦横比を指定して切り取る …………………… 254
| 書式の貼り付けはまとめてやろう …………… 34
| 書式を一括で変更するテクニック …………… 144
| 書式を設定して強調する ……………………… 123
| 書式を変更して文字列を読みやすくする …… 120
| 書式を他の文字列に適用する ………………… 128
| 数式を入力する ………………………………… 295
| 透かし文字とは ………………………………… 265
| 透かし文字を挿入する ………………………… 265
| スクリーンショットを挿入する ……………… 262
| 図形に文字列の折り返しを設定する ………… 236
| 図形の配置を整える …………………………… 234
| 図形を等間隔に配置する ……………………… 235
| 図形を編集する ………………………………… 222
| スケッチ風の図形を描ける …………………… 26
| スタイルを編集する …………………………… 276
| ストック画像で不要な気遣いから解放されよう … 34
| ストック画像を利用する ……………………… 260
| 図の色と枠線の色を変更する ………………… 223
| 図の重なり順を変更する ……………………… 234
| 図表番号とは …………………………………… 280
| 図表番号を挿入する …………………………… 280
| 図表目次を作成する …………………………… 285
| スマートフォンやタブレットとの連携で効率アップ … 33
| 図や表に通し番号を付ける …………………… 280
| セルの余白やセルの間隔を設定する ………… 187
| セルを結合・分割する ………………………… 182
| セルを左右に移動する ………………………… 166
| セルを指定して計算する ……………………… 193
| セルを挿入・削除する ………………………… 174
| 全角と半角の違いを知っておこう …………… 54
| 前後の段落に移動する ………………………… 100
| 選択範囲を影付きの罫線で囲む ……………… 143
| 線の太さと種類を変更する …………………… 222
| 組織図の配色を変更する ……………………… 259
| 組織図を作成する ……………………………… 256
| 組織図を編集する ……………………………… 257

## ●た行

| ダークモードで目の負担を軽減する ………… 26
| タイトルのロゴを挿入する …………………… 240
| 縦書き／横書きを設定する …………………… 79
| 縦書きの中の数字を縦書きに切り替える …… 294
| 縦書きを設定する ……………………………… 79

| 項目 | ページ |
|---|---|
| タブとは | 153 |
| ダブルクリックで列幅を自動調整する | 180 |
| タブを使って単語やセンテンスをきれいに配置する | 153 |
| 段組みとは | 161 |
| 段組みを設定する | 161 |
| 単語単位でカーソルを移動する | 98 |
| 単語に脚注を設定する | 282 |
| 単語を選択する | 105 |
| 単語を登録して入力を効率化する | 70 |
| 段落に罫線を引く | 141 |
| 段落の行の間隔を変更する | 156 |
| 段落を選択する | 106 |
| 段落を分けずに改行しよう | 102 |
| 小さい「っ」が付く読みを入力する | 58 |
| 小さい「ゃ」や「ゅ」が付く読みを入力する | 57 |
| 地図を描くための領域を挿入する | 212 |
| 直線を引く | 214 |
| 著作権を気にしないで画像・イラストが使える | 25 |
| 使いこなすと便利なWordのテクニック | 34 |
| データの表示を整える | 185 |
| 手書きで文字や図形を書き込む | 230 |
| 手書きの文字から漢字を検索して入力する | 70 |
| 手間のかかる表やグラフも簡単に作れる | 39 |
| テンプレートを利用して文書を作成する | 85 |
| 店舗別の合計を計算する | 192 |
| 特殊な文字を入力する | 292 |
| 特定の値を指定して行間を調節する | 158 |
| 特定のキーワードの書式を一括で変更する | 144 |
| 特定のセルを選択する | 169 |
| 特定のフォントを別のフォントに置き換える | 146 |
| 特定の部分を縦書きにする | 80 |
| ドラック&ドロップして文字列を移動する | 114 |
| ドラッグ操作で列の幅を調整する | 179 |
| ドロップキャップの設定を変更する | 160 |
| ドロップキャップを設定する | 159 |

### ●な・は行

| 項目 | ページ |
|---|---|
| 長い文章も楽に読める | 25 |
| 日本語を翻訳して入力する | 296 |
| 入力する文字の種類を切り替える | 55 |
| 配色を変更する | 275 |
| 配置を指定してレイアウトを整える | 134 |
| パソコンに保存されている文書を開きます | 90 |
| 貼り付け先の書式を適用して貼り付ける | 133 |
| 半角の数字やアルファベットを入力する | 65 |
| 販売形態が違う | 28 |
| 左揃えと両端揃えの違いを確認する | 135 |
| 描画キャンバスとは | 212 |
| 描画キャンバスを挿入する | 212 |
| 表記ゆれを修整する | 309 |
| 表全体のデータを並べ替える | 196 |
| 表全体を選択する | 171 |
| 表にスタイルを適用する | 188 |
| 表の一部のデータを並べ替える | 197 |
| 表の合計を計算する | 192 |
| 表の操作方法を覚える | 166 |
| 表のデータを並べ替える | 196 |
| 表のデザインを変更する | 188 |
| 表のデザインを編集する | 191 |
| 表の幅をウィンドウの幅に合わせる | 181 |
| 表を作成する | 164 |
| 表を挿入する | 164 |
| 表を分割する | 184 |
| 表を編集する | 172 |
| ひらがな・カタカナを入力する | 56 |
| ひらがなをアルファベットに変換する | 74 |
| ひらがなをカタカナに変換する | 72 |
| ひらがなを入力する | 56 |
| ひらがなを半角カタカナに変換する | 73 |
| フォントの種類を変更する | 121 |
| 吹き出しに文字を入力する | 225 |
| 吹き出しを微調整する | 226 |
| 複雑な図形を描く | 218 |
| 複数の個所に書式を適応する | 129 |
| 複数のパソコンと連携！ 共同編集でコストと時間を削減できる | 32 |
| フリーフォームで図形を描こう | 218 |
| ふりがなを表示する | 290 |
| プリンター？ プリンタ？ 用語統一の不安を解消 | 36 |
| プレゼンに便利！手書きの軌跡を再生できる | 26 |
| 文章にタブを挿入する | 153 |
| 文章を変換する | 62 |
| 文書全体を翻訳する | 297 |
| 文書にスタイルを適用する | 274 |
| 文書に名前を付けて保存する | 87 |
| 文書のスタイルをまとめて変更する | 274 |
| 文書の先頭・末尾にカーソルを移動する | 101 |
| 文書ファイルを開く | |
| 文書をPDFファイルとして保存する | 89 |
| 文書を印刷する | 92 |
| 文書を印刷する | 95 |
| 文書を外国語に翻訳する | 296 |
| 文書を共同編集する | 300 |
| 文書を共有する | 298 |

文書をチェックして修正する ……………… 308
文書を他のユーザーと共有する ……………… 298
文書を保護する ……………………………… 310
文節・文章単位の入力 ………………………… 62
文節の区切りを修正して変換する …………… 64
文節を移動する ………………………………… 62
平均値を算出してみよう …………………… 194
ページ下部にページ番号を挿入する ……… 289
ページ上部に章タイトルを表示する ……… 288
ページの途中で改ページを挿入する ……… 103
ヘルプを使いこなして快適に作業 …………… 51
変更履歴とコメントを使ってミスのない書類にする ……… 302
変更履歴を記録する ………………………… 304
変更履歴を利用して文書をチェック ……… 304
編集可能な範囲を指定して文書を保護する …… 311
便利すぎて出力紙での校閲には戻れない …… 36
本文を入力する ……………………………… 272

### ●ま行

前の文字を削除する ………………………… 108
間違った操作を取り消す …………………… 115
見出しのインデントを調節する …………… 279
見出しの書式変更を他の見出しにも反映させる …… 277
見出しの番号を設定する …………………… 278
見出しレベルを変更する …………………… 271
見出しを入れ替える ………………………… 272
見出しを入力する …………………………… 270
みんなで編集・チェック！文書作成効率が劇的にアップする …… 24
「めーる」と入力するとメールアドレスを入力できるようにする … 71
目次を作成する ……………………………… 284
目次を作成する ……………………………… 284
文字に網かけを設定する …………………… 142
文字に効果を設定する ……………………… 126
文字のサイズを変更する …………………… 120
文字の種類を切り替える ……………………… 54
文字の種類を知っておこう …………………… 54
文字の向きを切り替える …………………… 186
文字や段落への罫線や網かけ設定 ………… 141
文字列に色を付ける ………………………… 125
文字列に太字を設定する …………………… 123
文字列の折り返しの種類を理解しよう …… 237
文字列の配置を変更する …………………… 185
文字列への設定を他の部分にコピーする … 128
文字列を移動する …………………………… 113
文字列をコピーする ………………………… 112
文字列を修正する …………………………… 108

文字列を選択する …………………………… 104
文字列を右揃えで配置する ………………… 134
文字を間違えても修正が簡単 ………………… 39
文字をまとめて削除する …………………… 109
元の書式を保持して貼り付ける …………… 130

### ●や・ら・わ行

用紙のサイズを設定しよう …………………… 77
用紙のサイズを設定する ……………………… 77
用紙の向きを設定する ………………………… 78
余白を数値で設定する ………………………… 82
余白を設定する ………………………………… 81
読みのわからない漢字を入力する …………… 70
読みを変換してカタカナを入力する ………… 59
読みを変換して記号を入力する ……………… 67
ラベルに宛先を印刷する …………………… 312
リストの途中から番号を振りなおす ……… 139
リボンの使い方 ………………………………… 46
履歴を指定して操作をさかのぼれる ……… 116
ルーラーを表示する ………………………… 151
レイアウトデストロイヤーをやっつけよう … 35
列幅を均等にそろえる ……………………… 180
列を選択する ………………………………… 170
列を追加する ………………………………… 173
連携プレイでWordの活用範囲を広げる …… 31
連番の箇条書きを設定する ………………… 137
ワードアートのサイズを調節する ………… 242
ワードアートの書式を変更する …………… 244
ワードアートを挿入する …………………… 240
ワードアートを編集する …………………… 242
わからないことをヘルプで検索しよう ……… 51

# 用語索引

## ●英数字

| 用語 | ページ |
|---|---|
| 1行目インデント | 150 |
| 3Dモデル | 263 |
| BacStageビュー | 76 |
| Excel | 33、199 |
| Fluentデザイン | 24 |
| IMEパッド | 70 |
| Microsoft 365 | 28 |
| Microsoft IME | 54 |
| Microsoft Translator | 296 |
| Office 2021 | 28 |
| Office on the Web | 33 |
| Officeアドインボックス | 267 |
| Officeのテーマ | 275 |
| PDF | 89 |
| PowerPoint | 33 |
| QRコード | 267 |
| SmartArt | 256 |
| SmartArtのスタイル | 259 |
| Webレイアウト | 45 |
| Word 2021 | 24、38 |

## ●あ行

| 用語 | ページ |
|---|---|
| アート効果 | 250 |
| アイコン | 228 |
| アウトラインモード | 270 |
| アカウント名 | 45 |
| アクションペン | 232 |
| 網かけ | 127、142 |
| アルファベット | 55、65、74 |
| 移動 | 113 |
| イマーシブリーダー | 303 |
| イメージブリーダー | 26 |
| 色のトーン | 249 |
| インク再生機能 | 233 |
| インクの再生 | 27、233 |
| 印刷 | 95 |
| 印刷画面 | 92 |
| 印刷の向き | 78 |
| 印刷範囲 | 96 |
| 印刷プレビュー | 93 |
| 印刷レイアウト | 45 |
| インストール | 29 |
| インデント | 149、279 |
| インデント機能 | 35 |
| インデントマーカー | 45 |
| インデントを増やすボタン | 152 |
| ウィンドウ | 48 |
| ウィンドウの幅に自動調整 | 181 |
| 上書き保存 | 88 |
| 閲覧モード | 45 |
| オートコレクト | 308 |
| 大文字 | 66 |
| 折れ線グラフ | 259 |
| オンライン画像 | 261 |
| オンラインストレージ | 30 |

## ●か行

| 用語 | ページ |
|---|---|
| カーソル | 98 |
| カーソル移動 | 98 |
| 改行 | 57、66、102 |
| 改行記号 | 103 |
| 回転ハンドル | 227、247 |
| 改ページ | 103 |
| 囲い文字 | 292 |
| 箇条書き | 137 |
| 下線 | 124 |
| 型かな | 59 |
| カッコ文字 | 68 |
| 角丸四角形 | 215 |
| かな入力 | 58 |
| 画面構成 | 44 |
| 漢字 | 60 |

| | | | |
|---|---|---|---|
| 関数 | 195 | 消しゴム | 231 |
| キーワード検索 | 117 | 検索 | 117 |
| 記号 | 67 | 検索と置換ダイアログボックス | 118、144 |
| 記号と特殊文字ダイアログボックス | 68 | 検索ボックス | 51、117 |
| 既定のフォント | 122 | 校閲 | 304 |
| 起動 | 40 | ゴシック体 | 120 |
| 脚注 | 282 | コピー | 112 |
| 脚注番号 | 282 | コメント | 302 |
| 行 | 105、169、172、173 | コメントボタン | 45 |
| 行・列のコピー／移動 | 177 | 小文字 | 66 |
| 行・列の高さ／幅 | 179 | | |
| 行間 | 35、121、156 | | |
| 行数設定 | 83、165 | | |

### ●さ行

| | | | |
|---|---|---|---|
| 共同編集機能 | 25、36、300 | 最小化 | 45 |
| 行頭文字 | 138 | 最大化 | 45 |
| 共有ダイアログボックス | 298 | 再変換 | 111 |
| 共有ボタン | 45 | 索引 | 286 |
| 切り取り | 113 | 索引ダイアログボックス | 287 |
| 切り抜き | 251 | 索引登録ダイアログボックス | 286 |
| 均等割り付け | 134、136 | 削除 | 108 |
| クイックアクセスツールバー | 44 | 差し込み印刷 | 36、312 |
| クイックレイアウト | 207 | サポート | 30 |
| 組み文字 | 293 | 四角形 | 215 |
| グラフエリア | 202 | 軸ラベル | 202 |
| グラフ作成 | 202 | 自動保存機能 | 25、41、87 |
| グラフスタイル | 208 | 写真・イラスト検索 | 260 |
| グラフの種類の変更 | 209 | 写真挿入 | 245 |
| グラフの挿入ダイアログボックス | 202 | 写真の加工・修正 | 248 |
| グラフのデザイン | 207 | 写真の切り抜き | 251、252 |
| グラフフィルター | 206 | 斜体 | 124 |
| グラフ要素 | 210 | 終了 | 41 |
| グリッド線 | 35、156 | 小数点揃えタブ | 153 |
| グループ | 45 | 書式一括変更 | 144 |
| グループ化 | 227 | 書式設定 | 123 |
| 蛍光ペンの色 | 127 | 書式のコピー/貼り付け | 34、128、130 |
| 計算式 | 192 | 書式の削除 | 146 |
| 計算式ダイアログボックス | 192 | 書式変更 | 120 |
| 罫線 | 141、143 | 書式を統合 | 131 |
| 罫線のスタイル | 189 | 新機能 | 24 |
| 系列 | 203 | 数式 | 295 |
| | | ズームスライダ | 45 |

| | | | |
|---|---|---|---|
| 透かし文字 | 265 | 縦書き | 79、294 |
| スクリーンショット | 262 | 縦書きと横書きダイアログボックス | 80 |
| スクロールバー | 44 | 縦中横 | 294 |
| 図形作成 | 214 | 縦棒タブ | 153 |
| 図形と文字列の関係設定 | 236 | タブ | 45、153 |
| 図形の塗りつぶし | 224 | 段組み | 161 |
| 図形の変更 | 221 | 段組みダイアログボックス | 162 |
| 図形の編集 | 222 | 単語 | 105 |
| 図形の枠線 | 222 | 単語登録 | 71 |
| 図形配置 | 234 | 単語の登録ダイアログボックス | 71 |
| スケッチ | 27、223 | 段落 | 106 |
| スタートメニュー | 40 | 段落記号 | 103 |
| スタイルの変更ダイアログボックス | 276 | 段落内改行 | 102 |
| スタイル編集 | 276 | 段落番号 | 139、284 |
| ステータスバー | 44 | 置換 | 118 |
| ストック画像 | 26、34、260 | 地図アイコン | 228 |
| 図の形式タブ | 248 | 中央揃え | 134、185 |
| 図表番号 | 280 | 中央揃えタブ | 153 |
| 図表目次 | 285 | 調整ハンドル | 216 |
| すべての書式をクリアボタン | 125 | 頂点の編集 | 218 |
| スペルミス | 308 | 直線 | 214 |
| 正円 | 217 | 使いこなしテクニック | 34 |
| 正方形 | 217 | データ系列 | 202 |
| セル | 166、174 | データソースの選択ダイアログボックス | 205 |
| セルの間隔 | 187 | データ並べ替え | 196 |
| セルの結合 | 182 | データ表示編集 | 185 |
| セルの選択 | 169 | テーマ | 275 |
| セルの分割 | 183 | 手書き機能 | 230 |
| セルの余白 | 187 | 手書き文字 | 70 |
| 全角 | 54、66 | テンプレート | 42、85 |
| 全角カタカナ | 72 | 通し番号 | 280 |
| 操作取り消し | 115 | 特殊文字 | 67、292 |
| 操作の履歴 | 116 | 閉じる | 41、45 |
| 促音 | 58 | ドラッグ＆ドロップ | 114 |
| 組織図 | 256 | トリミング | 252 |
| | | トレーニング | 52 |
| | | ドロップキャップ | 159 |

## ●た行

| | |
|---|---|
| ダークモード | 27、43 |
| タイトル | 202 |
| タイトルバー | 44 |

## ●な行

| | |
|---|---|
| 名前を付けて保存 | 87 |

321

| 並べ替えダイアログボックス | 196 |

## ●は行

| | |
|---|---|
| 背景色 | 94 |
| 配色 | 275 |
| 白紙の文書 | 41、76 |
| 幅を揃える | 180 |
| 貼り付け | 112 |
| 範囲を選択 | 106 |
| 半角 | 54 |
| 半角英数字 | 65 |
| 半角カタカナ | 59、73 |
| 反転 | 227 |
| 凡例 | 202 |
| 左インデント | 149 |
| 左インデントマーカー | 45 |
| 左揃え | 134 |
| 左揃えタブ | 153 |
| 表 | 164 |
| 描画キャンバス | 212 |
| 描画リボン | 230 |
| 表記ゆれチェック | 36、309 |
| 表スタイルのオプション | 191 |
| 表のオプションダイアログボックス | 187 |
| 表の削除 | 176 |
| 表のスタイル | 188 |
| 表の操作の基本 | 166 |
| 表のデザイン | 188 |
| 表の分割 | 184 |
| 表の編集 | 172 |
| ひらがな | 55、56 |
| ピン留め | 40、91 |
| ファイルタブ | 45、47 |
| ファイルを開く | 90 |
| ファンクションキー | 72 |
| フォーカル | 45 |
| フォント | 120 |
| フォントサイズ | 102 |
| フォントの色 | 125 |
| フォントの置換 | 146 |
| フォントファミリー | 121 |
| 吹き出し | 225 |
| 複雑な図形作成 | 218 |
| フチなし印刷 | 82 |
| フッター | 289 |
| 太字 | 123 |
| ぶら下げインデント | 150 |
| ぶら下げインデントマーカー | 45 |
| フリーフォーム | 218 |
| ふりがな | 290 |
| プロットエリア | 202 |
| 文書印刷 | 92 |
| 文章 | 62 |
| 文書共有 | 298 |
| 文書作成 | 76 |
| 文書スタイル | 274 |
| 文書の比較ダイアログボックス | 306 |
| 文書の保護 | 310 |
| 文書比較 | 306 |
| 文書ファイル | 90 |
| 文節 | 62 |
| 文節の区切り | 64 |
| 文末脚注 | 283 |
| 分類 | 203 |
| 平均値 | 194 |
| ページ罫線 | 266 |
| ページ設定ダイアログボックス | 82 |
| ページ番号 | 289 |
| ヘッダー | 288 |
| ヘルプ機能 | 51 |
| 変更履歴 | 302、304 |
| 変更履歴の記録 | 304 |
| 編集画面 | 44 |
| 編集の制限作業ウィンドウ | 310 |
| 棒グラフ | 259 |
| 保存 | 42、87 |
| 本文 | 272 |
| 翻訳機能 | 296 |
| 翻訳ツール作業ウィンドウ | 297 |

## ●ま行

| 項目 | ページ |
|---|---|
| マーカー | 127 |
| 右インデント | 150 |
| 右インデントマーカー | 45 |
| 右揃え | 134 |
| 右揃えタブ | 153 |
| ミス修正 | 308 |
| 見出し | 270 |
| 見出しのインデント | 279 |
| 見出しの書式変更 | 277 |
| 見出し番号 | 278、284 |
| 見出しレベル | 271 |
| ミニツールバー | 171 |
| 明朝体 | 120 |
| 目次 | 284 |
| 文字色 | 125 |
| 文字数設定 | 83 |
| 文字設定のコピー | 128 |
| 文字の効果 | 244 |
| 文字の効果と体裁 | 126 |
| 文字の種類 | 54 |
| 文字の設定 | 125 |
| 文字の方向 | 186 |
| 文字配置指定 | 134 |
| 文字列 | 104 |
| 文字列修正 | 108 |
| 文字列の折り返し | 35、236 |
| 文字列の方向 | 79 |
| 元に戻す | 115 |
| 元の書式を保持 | 130 |

## ●や行

| 項目 | ページ |
|---|---|
| やり直し | 115 |
| 游明朝 | 122 |
| 拗音 | 57 |
| 用紙設定 | 77 |
| 用紙のサイズ | 77 |
| 用紙の向き | 78 |
| 横書き | 79 |
| 余白 | 81 |

| 項目 | ページ |
|---|---|
| 読み | 70 |

## ●ら行

| 項目 | ページ |
|---|---|
| ラベル | 281 |
| ラベル印刷 | 312 |
| リボン | 44、45、46 |
| 両端揃え | 134 |
| ルーラー | 44、45、151 |
| ルビダイアログボックス | 290 |
| レコード | 312 |
| 列 | 170、173 |
| 列数 | 165 |
| 連携 | 32 |
| ロゴ作成 | 240 |

## ●わ

| 項目 | ページ |
|---|---|
| ワードアート | 240、242 |
| 割注 | 293 |

# ローマ字入力かな対応表

日本語をローマ字変換で入力するときに便利な変換対応表です。「ヴぁ」や「ぴぇ」など組み合わせがわからないときなど参照してください。

## ●五十音

| あ<br>A | い<br>I、YI | う<br>U、WHU | え<br>E | お<br>O |
|---|---|---|---|---|
| か<br>KA、CA | き<br>KI | く<br>KU、CU、QU | け<br>KE | こ<br>KO、CO |
| さ<br>SA | し<br>SI、SHI | す<br>SU | せ<br>SE、CE | そ<br>SO |
| た<br>TA | ち<br>TI、CHI | つ<br>TU、TSU | て<br>TE | と<br>TO |
| な<br>NA | に<br>NI | ぬ<br>NU | ね<br>NE | の<br>NO |
| は<br>HA | ひ<br>HI | ふ<br>HU、FU | へ<br>HE | ほ<br>HO |
| ま<br>MA | み<br>MI | む<br>MU | め<br>ME | も<br>MO |
| や<br>YA | | ゆ<br>YU | | よ<br>YO |
| ら<br>RA | り<br>RI | る<br>RU | れ<br>RE | ろ<br>RO |
| わ<br>WA | | を<br>WO | | ん<br>NN、XN |

## ●濁音と半濁音

| が<br>GA | ぎ<br>GI | ぐ<br>GU | げ<br>GE | ご<br>GO |
|---|---|---|---|---|
| ざ<br>ZA | じ<br>ZI、JI | ず<br>ZU | ぜ<br>ZE | ぞ<br>ZO |
| だ<br>DA | ぢ<br>DI | づ<br>DU | で<br>DE | ど<br>DO |
| ば<br>BA | び<br>BI | ぶ<br>BU | べ<br>BE | ぼ<br>BO |
| ぱ<br>PA | ぴ<br>PI | ぷ<br>PU | ぺ<br>PE | ぽ<br>PO |

## ● 濁音と半濁音

| あ<br>XA、LA | い<br>XI、LI、LYI、XYI | う<br>XU、LU | え<br>XE、LE、LYE、XYE | お<br>XO、LO |
|---|---|---|---|---|
| ゃ<br>XYA、LYA | | ゅ<br>XYU、LYU | | ょ<br>XYO、LYO |
| | | っ<br>XTU、LTU | | |
| うぁ<br>WHA | うぃ<br>WHI、WI | | うぇ<br>WHE、WE | うぉ<br>WHO |
| ヴぁ<br>VA | ヴぃ<br>VI | ヴ<br>VU | ヴぇ<br>VE | ヴぉ<br>VO |
| きゃ<br>KYA | きぃ<br>KYI | きゅ<br>KYU | きぇ<br>KYE | きょ<br>KYO |
| ぎゃ<br>GYA | ぎぃ<br>GYI | ぎゅ<br>GYU | ぎぇ<br>GYE | ぎょ<br>GYO |
| しゃ<br>SYA、SHA | しぃ<br>SYI | しゅ<br>SYU、SHU | しぇ<br>SYE、SHE | しょ<br>SYO、SHO |
| じゃ<br>ZYA、JYA、JA | じぃ<br>ZYI、JYI | じゅ<br>ZYU、JYU、JU | じぇ<br>ZYE、JYE、JE | じょ<br>ZYO、JO、JYO |
| ちゃ<br>TYA、CHA、CYA | ちぃ<br>TYI、CYI | ちゅ<br>TYU、CHU、CYU | ちぇ<br>TYE、CHE、CYE | ちょ<br>TYO、CHO、CYO |
| ぢゃ<br>DYA | ぢぃ<br>DYI | ぢゅ<br>DYU | ぢぇ<br>DYE | ぢょ<br>DYO |
| つぁ<br>TSA | つぃ<br>TSI | | つぇ<br>TSE | つぉ<br>TSO |
| てゃ<br>THA | てぃ<br>THI | てゅ<br>THU | てぇ<br>THE | てょ<br>THO |
| でゃ<br>DHA | でぃ<br>DHI | でゅ<br>DHU | でぇ<br>DHE | でょ<br>DHO |
| にゃ<br>NYA | にぃ<br>NYI | にゅ<br>NYU | にぇ<br>NYE | にょ<br>NYO |
| ひゃ<br>HYA | ひぃ<br>HYI | ひゅ<br>HYU | ひぇ<br>HYE | ひょ<br>HYO |
| びゃ<br>BYA | びぃ<br>BYI | びゅ<br>BYU | びぇ<br>BYE | びょ<br>BYO |
| ぴゃ<br>PYA | ぴぃ<br>PYI | ぴゅ<br>PYU | ぴぇ<br>PYE | ぴょ<br>PYO |
| ふぁ<br>FWA、FA | ふぃ<br>FWI、FI、FYI | ふゅ<br>FWU、FYU | ふぇ<br>FWE、FE、FYE | ふぉ<br>FWO、FO |
| みゃ<br>MYA | みぃ<br>MYI | みゅ<br>MYU | みぇ<br>MYE | みょ<br>MYO |
| りゃ<br>RYA | りぃ<br>RYI | りゅ<br>RYU | りぇ<br>RYE | りょ<br>RYO |

※ーはキーボードの［ほ］キーから入力します。　※ひらがなの「ヴ」はありません。

■**本書で使用しているパソコンについて**

本書は、インターネットやメールを使うことができるパソコンを想定し手順解説をしています。使用している画面やプログラムの内容は、各メーカーの仕様により一部異なる場合があります。各パソコンの固有の機能については、パソコン付属の取扱説明書をご参考ください。

■**本書の編集にあたり、下記のソフトウェアを使用しました**

・Word2021／Microsoft 365／Microsoft Windows11 パソコンの設定によっては同じ操作をしても画面イメージが異なる場合があります。しかし、機能や操作に相違はありませんので問題なくお読みいただけます。

■**注意**

(1) 本書は著者が独自に調査した結果を出版したものです。

(2) 本書は内容について万全を期して作成いたしましたが、万一、ご不備な点や誤り、記載漏れなどお気付きの点がありましたら、出版元まで書面にてご連絡ください。

(3) 本書の内容に関して運用した結果の影響については、上記(2)項にかかわらず責任を負いかねます。あらかじめご了承ください。

(4) 本書の全部、または一部について、出版元から文書による許諾を得ずに複製することは禁じられています。

(5) 本書で掲載されているサンプル画面は、手順解説することを主目的としたものです。よって、サンプル画面の内容は、編集部で作成したものであり、全て架空のものでありフィクションです。よって、実在する団体・個人および名称とはなんら関係がありません。

(6) 本書の無料特典はご購入者に向けたサービスのため、図書館などの貸し出しサービスをご利用されている場合は、無料の電子書籍や問い合わせはご利用いただけません。

(7) 本書籍の記載内容に関するお問い合わせやご質問などは、秀和システムサービスセンターにて受け付けておりますが、本書の奥付に記載された初版発行日から2年を経過した場合または掲載した製品やサービスの提供会社がサポートを終了した場合は、お答えいたしかねますので、予めご了承ください。

(8) 商標

Word、Microsoft Office、Microsoft Surface、Skype、Microsoft、Windows、Windows11、10、8.1、8、7は米国Microsoft Corporationの米国およびその他の国における登録商標または商標です。

その他、CPU、ソフト名、企業名、サービス名は一般に各メーカー・企業の商標または登録商標です。

なお、本文中ではTMおよび®マークは明記していません。

書籍の中では通称またはその他の名称で表記していることがあります。ご了承ください。

## 著者紹介

### 吉岡　豊(よしおか　ゆたか)

プロフェッショナル・テクニカルライター。長年にわたりパソコン書の執筆を担当し、最近はIT関連書でも活躍しており、多くの読者から支持されている人気ライターである。特に、Excel、Word、PowerPointなどのOfficeアプリに関しては造詣が深く、これまでに数多くの著書を出版している。また、ビジネスマン向けのIT系Webサイトでの寄稿実績もあり、記事のクオリティが高く評価されている。これまでに合わせて100冊以上の著書を発刊している。

■デザイン　金子　中

## はじめてのWord2021

| | |
|---|---|
| 発行日 | 2022年 2月 5日　　第1版第1刷 |
| 著　者 | 吉岡　豊（よしおか　ゆたか） |

| | |
|---|---|
| 発行者 | 斉藤　和邦 |
| 発行所 | 株式会社　秀和システム<br>〒135-0016<br>東京都江東区東陽2-4-2　新宮ビル2F<br>Tel 03-6264-3105（販売）Fax 03-6264-3094 |
| 印刷所 | 図書印刷株式会社　　　　　Printed in Japan |

ISBN978-4-7980-6662-2 C3055

定価はカバーに表示してあります。
乱丁本・落丁本はお取りかえいたします。
本書に関するご質問については、ご質問の内容と住所、氏名、電話番号を明記のうえ、当社編集部宛FAXまたは書面にてお送りください。お電話によるご質問は受け付けておりませんのであらかじめご了承ください。